NARRATORI MODERNI

Di Andrea Vitali in edizione Garzanti:

Una finestra vistalago
La signorina Tecla Manzi
Un amore di zitella
La figlia del podestà
Il procuratore
Olive comprese
Il segreto di Ortelia
La modista
Dopo lunga e penosa malattia
Almeno il cappello
Pianoforte vendesi
La mamma del sole
Il meccanico Landru
La leggenda del morto contento
Zia Antonia sapeva di menta
Galeotto fu il collier
Regalo di nozze
Un bel sogno d'amore
Di Ilde ce n'è una sola
Quattro sberle benedette
Biglietto, signorina
La ruga del cretino (con Massimo Picozzi)
Le belle Cece
La verità della suora storta
Furto di luna (solo ebook)
Parola di cadavere (solo ebook)
Il rumore del Natale (solo ebook)
Seguendo la stella (solo ebook)
Addio bocce (solo ebook)
Il sapore del Natale (solo ebook)

ANDREA VITALI

LE MELE DI KAFKA

Garzanti

Prima edizione: maggio 2016
Prima ristampa: giugno 2016

Per essere informato sulle novità del Gruppo editoriale Mauri Spagnol visita:
www.illibraio.it

Pubblicato in accordo con Factotum Agency, Milano

ISBN 978-88-11-68768-9

Printed in Italy

www.garzantilibri.it

LE MELE DI KAFKA

Dedicato ai Comitati della
Società Dante Alighieri svizzera

I personaggi principali

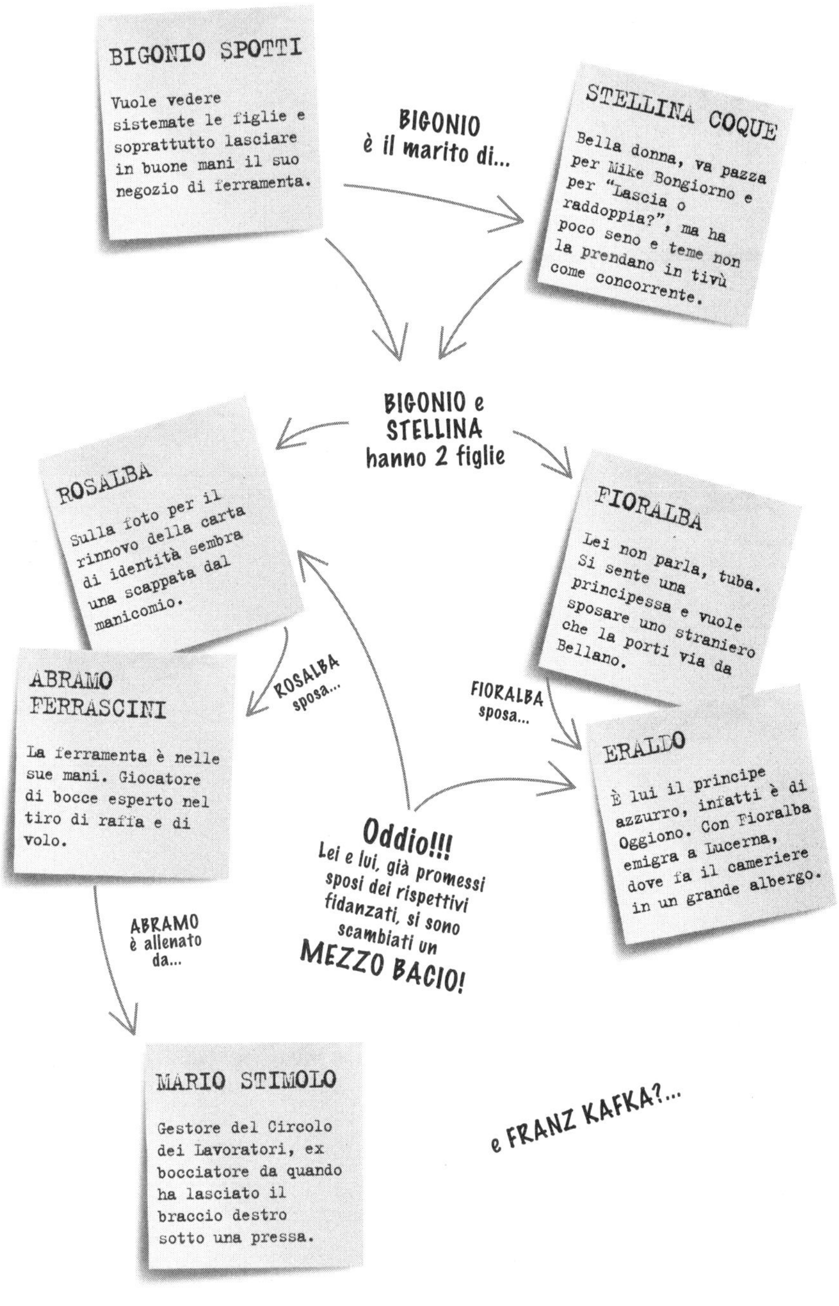

BIGONIO SPOTTI

Vuole vedere sistemate le figlie e soprattutto lasciare in buone mani il suo negozio di ferramenta.

BIGONIO è il marito di...

STELLINA COQUE

Bella donna, va pazza per Mike Bongiorno e per "Lascia o raddoppia?", ma ha poco seno e teme non la prendano in tivù come concorrente.

BIGONIO e STELLINA hanno 2 figlie

ROSALBA

Sulla foto per il rinnovo della carta di identità sembra una scappata dal manicomio.

FIORALBA

Lei non parla, tuba. Si sente una principessa e vuole sposare uno straniero che la porti via da Bellano.

ROSALBA sposa...

ABRAMO FERRASCINI

La ferramenta è nelle sue mani. Giocatore di bocce esperto nel tiro di raffa e di volo.

FIORALBA sposa...

ERALDO

È lui il principe azzurro, infatti è di Oggiono. Con Fioralba emigra a Lucerna, dove fa il cameriere in un grande albergo.

Oddio!!! Lei e lui, già promessi sposi dei rispettivi fidanzati, si sono scambiati un MEZZO BACIO!

ABRAMO è allenato da...

MARIO STIMOLO

Gestore del Circolo dei Lavoratori, ex bocciatore da quando ha lasciato il braccio destro sotto una pressa.

e FRANZ KAFKA?...

I personaggi e le situazioni raccontati in questo romanzo sono frutto di fantasia. I luoghi, invece, sono reali. Solo l'episodio riguardante il soggiorno di Franz Kafka in Svizzera è parzialmente ispirato alla realtà, ma è stato rielaborato per adattarlo alle esigenze narrative del romanzo, anche per quanto riguarda la toponomastica.

1.

Il telefono, di bachelite, nero, a muro, stava in fondo al corridoio d'ingresso. Aveva un suono imponente, martellava le orecchie.

«Par i campàn del dòm!» diceva spesso la perpetua.

Era quasi mezzanotte, gli sgoccioli di domenica 16 novembre 1958, quando irruppe nella quiete della canonica.

Considerando che prevosto e perpetua dormivano al secondo piano, che per scendere al primo c'era una scala di trenta gradini, dopodiché tutto il corridoio prima di arrivare alla cornetta, quella notte la perpetua stabilì un notevole primato riuscendo a dire «Pronto!» dopo solo cinque squilli.

Il prevosto, uscito dalla sua camera con la certezza di essere già battuto sul tempo, non scese nemmeno le scale. Si appoggiò alla ringhiera, in ascolto.

La voce della perpetua rimbombava.

«Pronto pronto pronto!»

Poi tacque.

E attaccò.

Con rabbia, gesto secco.

«Ma chi era?» chiese il prevosto.

«Boh», rimbombò la perpetua.

Aveva capito niente.

Prima una vocetta lontana lontana... un uselìn...

«Poi solo zzzz... zzzz...»

Il prevosto scrollò le spalle.

«Buonanotte allora.»

Uno sbaglio, poteva capitare.
Forse la perpetua aveva un udito di cane, percepiva gli ultrasuoni.
O forse era lui che stava diventando duro d'orecchio.
Vallo a sapere...
Sta di fatto che la gara per arrivare primi al telefono la vinceva sempre lei.
Non che fosse una gara dichiarata, che tra lui e la perpetua ci fosse una sfida.
Però il prevosto non gradiva che chiunque chiamasse in canonica dovesse spiegare il perché e il percome alla perpetua visto che rispondeva lei per prima e faceva domande precise.
E nemmeno temeva la lingua della donna, una fuga di notizie. Era certo che, di qualunque cosa si trattasse, la perpetua ne avrebbe parlato con lui e nessun altro. Con il resto del mondo, muta come un sasso. Ciononostante, una volta ogni tanto gli sarebbe piaciuto vincerla, quella specie di gara non dichiarata che partiva allo squillare del telefono. E che, tra l'altro, era sempre motivo di stupore nel vedere come la sua perpetua, al richiamo del telefono, dimostrasse un'agilità insospettabile, manco le arrivasse una scossa elettrica.
Stava suonando la mezzanotte, anche la perpetua si riavviò. Ma tra il decimo e l'undecimo tocco, il telefono ricominciò a squillare.
Il prevosto aveva appena richiuso la porta della sua camera, la perpetua era a metà del corridoio.
Due squilli, non uno di più.
«Ma pronto!»
Il prevosto riprese la via e decise che questa volta doveva scendere: poteva anche essere qualcuno in vena di scherzi stupidi, e allora ci avrebbe pensato lui a sistemarlo a dovere.
Ma gli bastò arrivare a un paio di passi dalla perpetua per capire che non si trattava di uno scherzo.

Cosa seria invece.

La perpetua teneva la cornetta con entrambe le mani e aveva in viso un'espressione contratta come se stesse camminando contro vento. Era tutta concentrata nel cercare di capire quello che la vocetta all'altro capo del filo le stava dicendo.

«Sì, sì.»

...

«O capì.»

...

«Ossignur!»

Il prevosto cominciò ad avvertire un filo di inquietudine. Però non c'erano in giro malati gravi che avessero bisogno del suo conforto prima del trapasso, figurarsi se non l'avesse saputo!

Cosa poteva essere successo allora?

Fece un altro mezzo passo verso il blocco unico formato da telefono e perpetua, ma quest'ultima, con un'impennata del capo, lo fermò spianando poi la fronte.

Insomma, quando uno è al telefono...

«Va bene, va bene», disse.

E aggiunse: «Subito, subito... però...».

Ma dall'altra parte avevano già riattaccato. La perpetua impiegò qualche secondo prima di capire che la comunicazione era terminata. Staccò la cornetta dall'orecchio, caldo e pervaso da un lieve ronzio, il rumore della corrente elettrica.

«Si può sapere cosa c'è?» chiese il prevosto.

«Sta male l'Eraldo», rispose la perpetua.

L'Eraldo?

Chi era?

«Chi è?» chiese il sacerdote.

2.

Chi era l'Eraldo?, ripeté la perpetua.

L'Eraldo era il marito della Fioralba Spotti, sorella della Rosalba Spotti, moglie dell'Abramo Ferrascini della ferramenta.

Il signor prevosto poteva anche non ricordarselo per varie ragioni, ma per quello c'era lei, era lì apposta.

Prima di tutto l'Eraldo non era di Bellano ma di Oggiono.

In più si era sposato al santuario di Lezzeno, e il matrimonio non l'aveva celebrato lui, ma il rettore di là.

«E poi», specificò la perpetua, «quella volta lì voi eravate agli esercizi spirituali.»

«D'accordo, ma...» fece il prevosto.

«Momento», si oppose la perpetua.

Celebrate le nozze, la Fioralba era partita per Oggiono dove il marito aveva una trattoria... una locanda...

«Cioè», si corresse la perpetua.

La trattoria, o locanda che fosse, era del padre dell'Eraldo, un vedovo che poco dopo il matrimonio del figlio si era tirato in casa una... una...

«Una?» s'innervosì il prevosto.

«Una...» carcagliò ancora la perpetua.

La parola giusta ce l'aveva ma non era cosa dirla davanti al prevosto.

«Una così», decise infine, «una...»

«Di facili costumi?» suggerì il prevosto.

«Ecco», confermò la perpetua.

Più giovane di dieci anni e con tre figli avuti da chissà chi, forse nemmeno dallo stesso chissà chi.

Insomma, il vedovo aveva perso la testa, lei s'era piazzata e aveva cominciato a fare il bello e il cattivo tempo. E la Fioralba, in mezzo a tutti, era quella che aveva finito per patire di più la situazione, diventando una specie di... di...

«Cenerentola?» offrì il prevosto.

«Come?» chiese la perpetua.

«L'ultima ruota del carro!»

«Ecco», confermò la perpetua.

E così, per farla breve, era andata che l'Eraldo e suo padre avevano litigato.

«Dicono che sono arrivati anche alle mani.»

«Non si potrebbe...» chiese il prevosto.

Farla ancora più breve, insomma.

La perpetua acconsentì.

Per farla ancora più breve, o lui o quella, aveva detto l'Eraldo a suo padre. E il padre, imbesuito come un caprone dalle arti magiche di quella là, gli aveva risposto che non doveva nemmeno pensarci per decidere.

«Quella là?» interloquì il prevosto.

«Ecco», confermò la perpetua. «Ha scelto la vipera!»

Così l'Eraldo aveva preso su ed era andato via.

«Con la Fioralba, è ovvio», aggiunse la perpetua.

Poi tacque, accorgendosi solo allora che durante tutta la spiegazione aveva sempre tenuto la cornetta in mano. La ripose piano piano, manco fosse di cristallo, sotto lo sguardo del prevosto che aspettava il seguito.

«Continuo a non capire», disse poi, vedendo che la perpetua non dava segno di voler proseguire.

«Come?» fece la perpetua.

Come faceva a non capire?

«Non so niente di questo Eraldo», rispose il sacerdote. «Cos'ha fatto poi, dopo che è andato via?»

Be', bastava chiedere, era semplice.

L'Eraldo era andato via da Oggiono, un po' di qua, un po' di là, faceva il cameriere, glielo aveva detto la Rosalba Ferrascini.

Poi se n'era andato via del tutto, emigrato.

«In Svizzera.»

«In Svizzera?» fece eco il prevosto.

Proprio, confermò la perpetua.

«E anche adesso sono in Svizzera?»

«Credo di sì», rispose la perpetua.

«Ma allora cosa c'entra la mia parrocchia, cosa c'entro io, perché hanno telefonato qui?» sbottò il prevosto.

«Perché il Ferrascini non ha il telefono in casa e bisogna che qualcuno li avvisi che l'Eraldo sta male.»

Tanto male, aveva detto la vocetta all'altro capo del filo.

3.

La notte era fredda, c'era un po' di foschia.

Sulla soglia della canonica, dopo aver guardato l'acciottolato della piazza che sudava umidità, il prevosto si girò.

Dietro di lui, come un'ombra, la perpetua.

«Siamo sicuri che abbiate capito bene?» chiese.

Ci aveva pensato un po' prima di sparare il dubbio, infine si era deciso, pur nella certezza che la sua perpetua non l'avrebbe presa al meglio.

La donna infatti accartocciò le labbra, offesa, uno sbuffo di stizza le uscì dal naso.

Forse non avrebbe dovuto, pensò allora il prevosto.

Però...

Insomma, la mezzanotte era passata da un po' e stava andando a svegliare nel pieno del sonno due persone per dare loro una pessima notizia.

Era sicura sicura che quell'Eraldo stesse così tanto male al punto che i medici disperavano di salvarlo?

«I dottori di là gli hanno dato due giorni al massimo!»

Svizzeri, neh!

Precisi!

Stato male al mattino subito dopo colazione, caduto in terra come svenuto, ambulanza, ospedale, radiografia, intervento chirurgico.

Gli era scoppiata una cosa in testa.

«Niente da fare», confermò la perpetua.

Proprio come aveva detto la vocetta al telefono, che

poi era quella della Fioralba, moglie dell'Eraldo e sorella della Rosalba, moglie del Ferrascini.

Ma se non se la sentiva andava lei, ripeté la perpetua.

Glielo aveva già detto.

«Me la sento, non è quello il problema», garantì il prevosto. «Voglio solo essere sicuro di quello che andrò a dire.»

La perpetua incassò.

E alòra ch'el vàga, pensò battendo in ritirata e attestandosi in cucina, perché voleva essere presente quando il sacerdote avrebbe fatto ritorno.

4.

I Ferrascini erano a letto, ovvio.

Ma solo lui, l'Abramo Ferrascini, dormiva.

Sodo, russando come un trattore e di tanto in tanto scoppiettando sotto le lenzuola.

Lei, la Rosalba, seguiva il ritmo del russare di suo marito, al bisogno si tappava il naso con le dita e teneva gli occhi chiusi, aspettando che venisse un sonno difficile, visto che ne aveva consumata gran parte durante il pomeriggio.

D'altronde con quel freddo, quel tempo ignagnerito, quel silenzio che era sceso in casa dopo che l'Abramo era uscito come al solito per andare al Circolo dei Lavoratori...

Insomma, s'era messa in poltrona, attaccata alla stufa, con l'intento di leggere un po' di libro e dopo nemmeno dieci minuti le era partita la piomba. Si era svegliata grazie al libro che, dopo un paio d'ore di sonno pieno, dal grembo era scivolato in terra colpendola di costa sul piede.

"Va' che vita", aveva pensato.

Si era addormentata col grigio della giornata sotto gli occhi e si era risvegliata col nero sui vetri delle finestre, come se ci avessero passato una mano d'inchiostro.

Non era incline ai pensieri bui, però, in quell'atmosfera, ci voleva niente a farsi venire il magone.

Poi era tornato l'Abramo portando in casa l'odore di sigarette e di toscani, l'essenza vitale del Circolo, un vago odore di vino cotto e le balle che ormai conosceva a memoria: le bocce, la bravura sua e del suo socio, la semifinale del campionato provinciale in programma a Cermenate la domenica a venire e il titolo che quella volta non sarebbe sfuggito alla bocciofila bellanese, se tutto filava liscio.

Appunto, stava pensando la Rosalba.

Se...

Fiorivano i se, favoriti dal buio e dall'insonnia.

Se non fosse nata femmina ma maschio.

Oppure se non fosse nata lì ma in un altro posto.

Se non avesse dormito così tanto quel pomeriggio così che adesso avrebbe potuto evitare di ascoltare il concerto tutt'altro che elegante di suo marito.

E anche di sentire quel tic tac cadenzato che veniva da fuori.

Tacchi chiodati che camminavano in contrada senza fretta alcuna.

Tic, tac.

Un nottambulo pensieroso.

Chissà chi era, chissà dove andava, pensò la Rosalba.

Per un momento le venne la suggestione che potesse trattarsi di un morto che, approfittando dell'ora, se ne andava in giro.

Poi, in un istante, non percepì più il ticchettio.

Il morto aveva deciso di tornare sottoterra?

Ci fu una breve sospensione dei rumori, silenzio assoluto, anche l'Abramo aveva smesso di russare e sparare colpi di cannone.

Il campanello di casa suonò.

Un drin drin quasi gioioso, non fosse stato per l'ora.

5.

Scattò per primo l'Abramo, un pensiero in testa.

Che fosse successo qualcosa al Rodigatti, il suo socio di bocce.

Era delle parti di Calolziocorte, Monte Marenzo, andava e veniva in motoretta, non beveva, solo spuma, ma niente da dire se qualche disgraziato turista della domenica avesse preso con troppa allegria una delle tante curve della statale e l'avesse stirato.

Il prevosto vide due finestre illuminarsi, prima quella della camera da letto poi quella della cucina, che dava proprio sopra l'ingresso di casa, di lato a quello della ferramenta.

Da quest'ultima vide sbucare, circonfuso di foschia, il testone spettinato del Ferrascini.

«Chi è, cosa c'è?»

La domanda sembrò allargarsi sopra tutto il paese.

«Sono il prevosto, devo dirvi una cosa.»

La Rosalba si mise alla finestra della camera in quell'istante e guardò giù.

Freddo becco, pensò il prevosto.

Tirava un'ariaccia in quella contrada.

In attesa che il Ferrascini gli aprisse, si strinse ancora di più nel pastrano. Alla Rosalba parve di vedere un corvo gigante, maligno, che stava per entrare in casa sua.

Fantasie, pensò.

Come quella del morto a passeggio.

Che animale sarebbe stata lei, se non fosse nata né donna né uomo?

6.

Più corvo che prete.

Fu il pensiero dell'Abramo, con tutto il rispetto e senza aver condiviso l'immagine con la moglie, dopo che il prevosto lasciò la casa, quando ormai erano quasi le due e dopo essersi liberato del tragico fardello.

La conclusione era stata che se volevano vedere vivo l'Eraldo...

Insomma, vivo...

Aveva impiegato un bel po' per arrivare a quel punto.

Quando era entrato aveva preso subito la strada della cucina, ormai fredda quasi come fuori.

Un colpo di tosse e poi via.

«Purtroppo...»

La Rosalba aveva cominciato a piangere quasi subito e l'aveva ascoltato con i gomiti appoggiati al tavolo e le mani intrecciate sulla faccia.

Il Ferrascini invece era stato uomo.

In piedi, serio.

Non aveva potuto fare a meno di tirare un sospiro di sollievo pensando al suo socio di bocce. Anche nel caso, non avrebbero certo mandato il prevosto ad avvisarlo, non a quell'ora.

Poi il prevosto aveva detto quella cosa.

Che se volevano vedere l'Eraldo ancora vivo... sì, insomma, vederlo prima che...

«Ci siamo capiti, no?»

S'erano capiti eccome, aveva pensato il Ferrascini. Voleva dire che nell'un caso o nell'altro, vederlo ancora vivo o quello che era, bisognava darsi da fare in fretta.

Partire.

«Domani», aveva singhiozzato la Rosalba.

«Domani stesso partiremo per Berna», aveva confermato l'Abramo, dimenticando anche lui che la mezzanotte era già passata.

«Lucerna», aveva mormorato tra le dita la Rosalba.

«Come?» aveva chiesto il prevosto.

«Lucerna», aveva ribadito la donna.

L'Eraldo e sua sorella abitavano a Lucerna, lui faceva il cameriere in un albergo di quella città.

L'Abramo aveva scosso la testa, come a scusarsi.

D'altronde lui l'Eraldo l'aveva visto poche volte, forse avrebbe fatto fatica a riconoscerlo e non poteva neanche dire se gli era simpatico o antipatico.

E poi, Berna o Lucerna, che differenza faceva?

Sempre Svizzera era.

Sul punto di uscire il prevosto aveva messo una mano sulla spalla della Rosalba che continuava a piangere.

«Non perdete la speranza», aveva detto. «L'ultima parola spetta sempre e solo a Lui.»

«E ma», era scappato all'Abramo, «se le cose stanno così!»

Se i dottori svizzeri, che erano svizzeri mica per niente, gli avevano dato quarantotto ore al massimo...

«Non si sa mai», aveva ribattuto il prevosto.

Ed era stato a quel punto che il Ferrascini aveva pensato "più corvo che prete".

Perché alla semifinale del campionato provinciale di coppia mancavano sette giorni e non poteva, non voleva, ma soprattutto non doveva saltarla per nessuna ragione al mondo.

7.

Macchina o treno?

Inutile chiedere alla Rosalba che aveva finito le lacrime ma guardava nel vuoto, era già a Lucerna a consolare sua sorella.

Macchina, decise l'Abramo.

«Basta che andiamo», espirò la Rosalba uscendo dal vuoto e rientrandoci subito dopo.

Bon, macchina.

La macchina non doveva tener conto di orari, ritardi, coincidenze e compagnia bella.

La macchina quindi.

Però.

Con l'auto che possedeva, una Fiat 1100 verde, il Ferrascini non aveva mai fatto molti chilometri, non era mai uscito dai confini della Lombardia. Il viaggio più lungo che faceva era per andare in un posto vicino a Ospitaletto, dove un paio di volte all'anno si riforniva. Se no Lecco, dai commercianti, Como, due volte al catasto, una in questura, e qualche gita ma sulla montagna alle spalle del paese, San Grato, Camaggiore, Giumello.

Da un certo punto di vista la macchina era come nuova, però aveva i suoi anni. Per un viaggio del genere il Ferrascini rifletté che forse era meglio che il meccanico le desse un'occhiata: olio, freni, gomme, quelle cose lì.

Dio bono, ma proprio adesso!

Va be', inutile recriminare. Meglio invece non perdere tempo.

Verso le tre il Ferrascini tornò a coricarsi dopo aver detto alla moglie che prima di partire avrebbe fatto dare un'occhiata alla macchina.

«Basta che andiamo», rispose ancora la Rosalba.

Una volta sotto le lenzuola, solo perché la moglie era rimasta in cucina al centro del vuoto universo che aveva sotto gli occhi, l'Abramo aveva cercato di fare i conti.

Quante ore ci volevano per andare a Lucerna?

Ma 'sta Lucerna dov'era?

In ogni caso era in Svizzera e la Svizzera non era mica all'altro capo del mondo.

Per quanto lontana, un giorno di viaggio bastava.

Anzi, avanzava.

Perché, se all'Eraldo gli avevano dato appena due giorni di vita...

Lunedì, martedì...

Martedì avrebbe dovuto essere bello e morto...

Quindi mercoledì, massimo giovedì, funerale...

Riuscì a dormicchiare fin verso le sei del mattino. Alle sette era lì, primo cliente, davanti alla cler ancora chiusa dell'officina.

8.

«Un viaggio lungo?» gli chiese il meccanico.

Lungo quanto?

Il meccanico era uno oncio, viveva solo, originario della Valsassina. Dicevano che fosse stato anche in galera per una storia di furto di taleggi. Non era l'unico a fare quel mestiere in paese, ma aveva il dono della meccanica nelle mani. Però era brocco forte. Dava del tu a tutti, sputava per terra, beveva un sacco e ruttava in libertà.

Il Ferrascini rispose, sentendosi uomo di mondo.

«Svizzera.»

«Svizzera dove?» chiese il meccanico.

«Lucerna», rispose il Ferrascini.

«E che strada fai?»

Il Ferrascini rimase interdetto, non ci aveva pensato.

Ma era un problema?

«Il Gottardo scordatelo», disse il meccanico.

In quella stagione ci passavano solo i camosci.

«E allora?» fece il Ferrascini.

Il meccanico tirò fuori dal taschino della camicia uno stuzzicadenti nero come le sue unghie e se lo mise in bocca. Poi, senza dire altro, circumnavigò la macchina del Ferrascini.

Infine grugnì.

«Cosa c'è?» chiese l'Abramo.

Niente, fece il meccanico, guardava le gomme.

«E, allora?»

Non ricevette alcuna risposta.

«Devi fare il San Bernardino», disse invece.

Sessanta chilometri, un po' di curve, un po' di tornanti. Neve per intanto niente. Per le previsioni del tempo bisognava ascoltare radio Monte Ceneri, non sbagliava mai. Gli fece un cenno col capo a indicare la voce che gracchiava nell'aria dell'officina.

«Radio Monte Ceneri», specificò il voncione.

Poi gli chiese di lasciarlo lavorare adesso: olio, freni, gomme, puntine e tutta una serie di cose di cui il Ferrascini non conosceva nemmeno l'esistenza.

Gli svizzeri facevano il pelo e il contropelo anche alle macchine, se volevano.

«Fra due ore è pronta», concluse il meccanico facendo sparire lo stuzzicadenti in bocca con un movimento carpiato.

9.

Se...

Ce n'era ancora uno di «se» che non era sparito come gli altri insieme con il buio della notte.

La Rosalba lo nascose dietro il gran dolore al pensiero della sorella lontana e disperata.

Poi si era data da fare, conscia che stavano per partire.

Aveva preparato una valigia.

Quindi aveva pensato alla ferramenta, che sarebbe rimasta chiusa per un po'.

Bisognava avvisare, aveva deciso di farlo lei, s'era messa a preparare un cartello.

Un altro mezzuccio per nascondere quel «se» che non se ne voleva andare.

Si avvisa la gentile clientela...

E s'era fermata.

Non che la loro clientela fosse poi così gentile.

Si avvisano i signori clienti che la ferramenta resterà chiusa per...

Per cosa?

Per ferie, non era il caso.

Per lutto non si poteva ancora dire, le parole di speranza del prevosto le suonavano ancora nelle orecchie e poi, per dirla tutta, le pesava troppo quel pensiero.

Però era per quello che chiudevano, cosa mai fatta in precedenza, nemmeno per fare l'inventario, che l'Abramo completava a spizzichi e bocconi un po' alla sera dopo il lavoro o se no alla domenica se non era in giro per le bocce.

Alla Rosalba tornarono le lacrime e finì il cartello piangendo.

Si avvisano i signori clienti che la ferramenta resterà chiusa.

Basta così.

Si avviò di sotto, in negozio, per attaccare il cartello, attenta ai gradini, a dove metteva i piedi perché le lacrime sembrava che non si volessero più fermare. E, come se fosse lì, davanti a lei, mentre scendeva lenta un gradino dopo l'altro, vedeva suo marito e lo sentiva anche parlare per dire che va be', d'accordo, spiaceva anche a lui per l'Eraldo, capiva che era il marito di sua sorella però tutte quelle lacrime, tutto quel piangere, insomma...

Arrivata alla fine della scala la Rosalba sospirò perché non era caduta e anche perché un gradino dopo l'altro aveva ripensato al fatto che del povero Eraldo si era innamorata anche lei e che se non fosse già stata quasi sposata con l'Abramo e lui già fidanzato con la Fioralba, chissà, magari...

Forse s'era innamorata senza saperlo.

Forse anche lui.

Senza saperlo lei, senza saperlo lui, che cosa strana la vita.

E però... quel mezzo bacio...

Attaccò il cartello in faccia a uno che stava spingendo la porta per entrare e che, trovandola chiusa, disse qualcosa che alla Rosalba parve l'abbaio di un cane.

10.

Il Ferrascini intanto si era diretto alla volta della tabaccheria-edicola con un'idea ben precisa, ma cartine della Svizzera non ne avevano.

Però il vigile Ticozzi, che era dietro di lui in attesa di comperare un pacchetto di Nazionali senza filtro belle dure, sentita la sua richiesta gli aveva detto che, se aveva un momento di tempo e gli pagava un caffè al bar dell'Imbarcadero, la strada migliore gliela spiegava lui. Dopo, una volta dentro in Svizzera, era solo questione di guardare i cartelli e di non fare l'asino.

I poliziotti svizzeri infatti non perdonavano, ti blindavano e buttavano via le chiavi.

«Dico per dire», rise il Ticozzi poco più tardi, una volta al banco del bar.

Per dire che bisognava stare attenti alla velocità, alle strisce pedonali, alle precedenze e a quelle balle lì.

«E mi raccomando la carta d'identità e la carta verde», aggiunse il Ticozzi.

Carta d'identità, d'accordo.

Ma la carta verde?

Cos'era?

Il Ticozzi sorrise pizzandosi un'altra delle quaranta sigarette giornaliere.

Era una carta proprio verde, verde di colore.

«Se non ce l'hai, in Svizzera non ti fanno entrare, nisba!»

Era divertente guardare il viso del Ferrascini, devastato

dallo stupore. Il Ticozzi tra l'altro aveva parlato ad alta voce per attirare l'attenzione, fare spettacolo delle sue conoscenze.

Ma un bel gioco dura poco.

«Te la fanno in frontiera, dai», disse dandogli una pacca sulla spalla e provocando la risata del padrone del bar e di un altro paio che si erano fermati ad attendere la conclusione del siparietto.

Il Ferrascini pagò i caffè mentre alle sue spalle il Ticozzi gli stava dicendo che per qualunque bisogno sapeva dove trovarlo, poi si diresse a passo di corsa verso casa.

La carta d'identità la teneva nel cassetto del comodino, in camera da letto, perché almeno sapeva dove andarla a cercare quando ne aveva bisogno. L'aveva usata l'ultima volta che era andato a votare dicì.

Angolo sinistro del cassetto, gli sembrava di vederla.

Il Mario Stimolo intanto lo stava già cercando, col respiro corto e un diavolo per capello.

Ad avvisarlo era stato quello che alla ferramenta s'era trovato il cartello di chiusura sul muso e davanti agli occhi il volto stravolto dal pianto della Rosalba.

Era andato lì perché aveva bisogno di un mezzo chilo di chiodi.

Ma il problema non erano i chiodi.

Il problema stava nel fatto che si chiamava Amedeo Rollini ed era autista di pullman. Ed essendo tale era volato al Circolo dei Lavoratori ad avvisare il Mario Stimolo che del Circolo, dall'anno in cui aveva lasciato il braccio destro sotto una pressa, era gestore.

11.

Per fortuna il Ferrascini si era affrettato verso casa passando dal lungolago e poi dal molo. Lo Stimolo invece aveva imboccato via Manzoni, così non s'erano visti né tantomeno incontrati in pubblico.

L'Abramo arrivò per primo in casa. La Rosalba aveva gli occhi rossi e gonfi ma non piangeva più. Lui corse in camera da letto e prese la carta d'identità.

Bon, non era scaduta.

Sospirò di sollievo.

Però poi pensò che una carta d'identità doveva avercela anche sua moglie. Non era detto che se la sua era buona lo fosse anche quella di lei.

Controllare, disse.

Ma suonò il campanello.

Lo Stimolo.

Suono cattivo, insistito.

La Rosalba sgranò gli occhi, si sentì palpitare, si aggrappò con una mano al bordo del tavolo.

L'Eraldo era morto!

L'Abramo cristonò.

Chi andava a rompere i coglioni?

«Te intanto controlla la tua carta d'identità», disse alla moglie.

Lui partì alla volta della cucina, aggredì la finestra, cacciò fuori il testone, pronto a maltrattare chiunque.

Chiunque tranne quello che stava lì sotto ancora attaccato al campanello di casa.

Il Ferrascini restò a guardarlo senza riuscire a dire mezza parola, la bocca aperta.

Il Mario Stimolo, vedendolo, pensò che boccheggiava come un cavedano appena tirato fuori dall'acqua.

«Cosa cazzo vuol dire quel cartello lì?» urlò poi.

Quale cartello?, pensò il Ferrascini.

12.

La carta d'identità, quella della Rosalba, era ancora nel cappotto che aveva messo su l'ultima volta che era andata a votare, elezioni amministrative, per il sindaco dicì.

Era scaduta.

La Rosalba lo sapeva.

O almeno avrebbe dovuto ricordarlo, perché glielo aveva detto il presidente di seggio. Poco prima di consegnarle scheda e matita copiativa gliel'aveva chiesta giusto per un proforma: lo aveva appena fatto con un dottorino nuovo, appena arrivato in ospedale e che votava in quello stesso seggio, e aveva pensato che fosse buona cosa mostrarsi ligio anche con la Rosalba, pur se la conosceva bene.

Così s'era accorto che era scaduta.

«La uso talmente poco che mi dimentico di averla», s'era scusata la Rosalba.

«Conviene sempre averla in corso di validità, non si può mai sapere», aveva risposto il presidente. «Non se ne dimentichi, la rinnovi.»

«Stia certo», aveva risposto lei.

Detto, fatto.

L'aveva rimessa nella tasca del cappotto e l'aveva dimenticata lì.

Seppellità nella memoria.

Al nascere di quell'ultimo verbo la sorte dell'Eraldo tornò prepotente nel pensiero della Rosalba, richiamando nuove lacrime. Alle quali se ne aggiunsero altre per via della carta d'identità scaduta.

Piangeva col silenziatore quando lo Stimolo entrò in cucina che sembrava avesse il diavolo in corpo e piangeva con qualche singhiozzo, a scoppio, quando l'Abramo cacciò la testa dentro la camera da letto per chiederle che diavolo di cartello c'era sulla porta della ferramenta e cosa c'era scritto.

La Rosalba rispose:

«È scaduta», col documento in mano che sembrava una farfalla.

«Come scaduta?» muggì l'Abramo e fissando la moglie con occhio invero bovino.

Lo Stimolo intanto picchiettava nervoso sul tavolo di cucina con le dita dell'unica mano che aveva.

13.

Una cosa per volta.

Il Ferrascini si sentiva la testa ingolfata, come quando si avvicinava il momento di partire per Ospitaletto e andare nel posto dove si riforniva: cominciava a pensare che gli mancava questo e quell'altro e quell'altro ancora, guardava in giro per la ferramenta, apriva e chiudeva cassetti e alla lista di quello che doveva prendere si aggiungeva sempre qualcosa d'altro. Fino al momento in cui non capiva più un cazzo, nella testa gli ronzava un vocabolario di chiodi, viti, fil di ferro duro o morbido, e allora si sedeva al tavolino e cominciava a metter giù una lista scritta, una cosa per volta.

Una tortura. Scriveva leeento lento, con fatica, usando un lapis senza età che inumidiva con la lingua ogni due per tre. Una parola, una saracca. Se per caso la Rosalba lo coglieva sul fatto e si offriva di aiutarlo, lei che aveva sempre avuto dieci in calligrafia, erano bestemmie col filo spinato. Alla fine dell'operazione era sudato, aveva la lingua nera come se avesse appena mangiato mirtilli, ma soddisfatto.

Così, come se dovesse preparare la lista da presentare al fornitore, decise di fare anche adesso.

Quindi, una cosa per volta.

Prima lo Stimolo e il cartello oppure la Rosalba e la carta d'identità?

La Rosalba piangeva a singhiozzi sincopati, avrebbe parlato a strappi, meglio lasciarla calmare.

Il Ferrascini tornò in cucina, lo Stimolo ripeté la domanda.

Cosa diavolo significava quel cartello?

«Quale cartello?» chiese ancora l'Abramo.

Il Mario Stimolo glielo spiegò, poi ripeté parola per parola quello che c'era scritto.

Il Ferrascini capì al volo, non bisognava essere maghi per intuire chi avesse messo l'avviso.

«Ti spiego», disse.

«Sarà meglio», fece lo Stimolo.

14.

Il Mario Stimolo aveva perduto il braccio destro, schiacciato da una pressa, nel 1955, due settimane prima di una semifinale di bocce a coppia che lo vedevano lanciato verso la conquista del Trofeo delle Tre Province al quale avevano partecipato i migliori giocatori del comasco, del varesotto e della bergamasca.

Dopo l'incidente, per sei mesi non aveva parlato, se non per rifiutare l'offerta di una protesi in sostituzione dell'arto mancante.

Piano piano aveva ricominciato, bestemmie perlopiù.

Poi, quando aveva infine compreso che se non voleva campare di carità o morire di fame doveva trovarsi qualcosa da fare, gli era saltato fuori quel posto di gestore del Circolo dei Lavoratori grazie alla combinata intercessione di prevosto e sindaco di allora.

Ciò aveva significato ritornare alle bocce, visto che l'esercizio era dotato di due campi di gioco tenuti al bacio, anche se non regolamentari.

Beninteso, non alla pratica vera e propria e men che meno a quella agonistica.

Lo Stimolo, scansando il consiglio di alcuni, aveva sempre detto no all'idea di riprendere a giocare usando il braccio sinistro.

Ma al fascino che il gioco, il mondo delle bocce, l'ambiente, aveva sempre esercitato su di lui, a quello sì. Non ce l'aveva fatta a sottrarsi al suo richiamo, scoprendo di non essersene mai disamorato.

L'aveva risentito, ritrovando i rumori di un tempo, lo schiocco delle bocce, le grida, i richiami, i consigli, ma anche i silenzi, i fischi di approvazione, i respiri e i sospiri.

E ci si era lasciato andare.

Guardava le partite e sentiva il suo braccio fantasma muoversi di concerto con quello dei giocatori.

Quello che vedeva, però, soprattutto le sere e le domeniche, non era giocare a bocce. Piuttosto era prendersi gioco delle bocce e della funzione per la quale erano state inventate. Nessuno di coloro che vedeva sui campi del Circolo sembrava rendersi conto di avere in mano un oggetto rotondo come la terra sulla quale viveva e pieno, come avrebbe dovuto essere la testa di ogni essere umano, di cose da scoprire e capire.

Fin quando era spuntato all'orizzonte di gloriose imprese l'Abramo Ferrascini.

15.

L'Abramo Ferrascini gli era apparso una domenica di luglio, al crotto di Biosio.

A quel tempo l'Abramo lavorava al cotonificio come operaio semplice ed era scapolo. Frequentava il Circolo insieme con i soci del lavoro e, come tanti altri, non aveva particolare interesse per le bocce, se mai stava a guardare gli altri che giocavano, non ne capiva una mazza e si divertiva quando saltava fuori qualche bella discussione.

Mario Stimolo s'era lasciato convincere a seguire quella compagnia di sfaccendati della domenica per una merenda al crotto e per prendere un poco di aria fresca: sul paese gravava un'afa umida che aveva tenuto la maggior parte dei frequentatori del Circolo in casa oppure li aveva spinti al lago. Lo Stimolo, data un'occhiata ai soliti quattro vecchiacci che nonostante la calura giocavano a scopa senza mollare la giacca e la camicia stretta al collo, aveva lasciato al banco la moglie, la Moribonda, così detta per la fissità dello sguardo e la latitanza pressoché completa di mimica facciale, e s'era aggregato.

Dopo la merenda, pane, salame, formaggini invecchiati, vino e gazzosa, la compagnia aveva fatto quattro tiri sull'incidentato campetto di bocce del crotto.

Il Ferrascini prendeva in mano una boccia per la prima volta in vita sua.

Dopo una mezz'ora che lo guardava, lo Stimolo, l'occhio iniettato, il respiro corto e l'arto fantasma che si era mosso ogniqualvolta l'Abramo aveva lanciato una boccia, l'aveva preso da parte.

Diocristo, era come lui!

«Te c'hai l'occhio nel braccio e il braccio nell'occhio!» gli aveva detto.

«Cioè?» aveva chiesto il Ferrascini.

«Ti spiego», aveva risposto lo Stimolo.

16.

«Spiegami bene perché se no mi incazzo», disse Mario Stimolo.

I singhiozzi della Rosalba arrivavano in cucina col ritmo di un valzerino. L'Abramo chiuse la porta della camera dopo aver avvisato la moglie che si sarebbe sbrigato in un attimo.

Invitò lo Stimolo a sedere.

«Spiegami», ordinò quello rifiutando l'invito.

«È successa una disgrazia», partì il Ferrascini.

«Una disgrazia?»

«Sì, in Svizzera.»

Lo Stimolo sgranò gli occhi.

Ma aveva capito bene?

In Svizzera aveva detto l'Abramo?

«Sì.»

«E tu cosa c'entri?» chiese allora.

Ma era pronto a far volare sberle con l'unica mano se il Ferrascini credeva di farlo passare per stupido.

L'Abramo partì con la spiegazione.

«L'Eraldo...»

... che lo Stimolo non aveva mai visto una sola volta in vita sua...

«...il marito della Fioralba...»

...che il gestore del Circolo ricordava come una colombella perché era sempre vestita di bianco o di azzurro e teneva sempre gli occhi per terra...

«...sta male male», concluse il Ferrascini.

«È morto?» chiese Mario Stimolo.
«No», rispose il Ferrascini.
«Non lo so», si corresse.
«Forse sì», aggiunse.
«Dobbiamo andare a Lucerna a vedere», comunicò infine.
«E quando?» chiese lo Stimolo.
«Adesso, oggi», rispose il padrone di casa.
«Ma lo sai o no che Lucerna è in Svizzera?» obiettò Mario Stimolo.
Lo sapeva sì, confermò l'Abramo con un cenno del capo. Non glielo aveva appena detto?
E sapeva anche perché lui era lì in casa sua, incazzato come una iena.
Per la semifinale di domenica.
Ma non si doveva preoccupare.
«Non mi devo preoccupare?» ghignò il gestore del Circolo.
Gli diceva che doveva partire per la Svizzera, Lucerna addirittura, con la semifinale del campionato alle viste e non doveva preoccuparsi?
«Spiegami, perché non dovrei preoccuparmi?» ringhiò Mario Stimolo.
E cercasse di convincerlo che non aveva buttato via il tempo che aveva investito standogli dietro per farlo diventare un bocciatore come dio comanda.

17.

Come individuale non andava bene.

Tempo un mese, dopo che l'aveva visto al crotto e aveva cominciato a farlo giocare sui campetti del Circolo, e lo Stimolo l'aveva capita, aveva inquadrato il soggetto.

D'altronde non c'era nessuno meglio di lui, che era nato con le bocce in mano, che aveva passato la vita a calpestare la sabbia dei campi, che era arrivato alle semifinali del provinciale e che, non fosse stato per quella pressa del demonio...

Nessuno meglio di lui, per farla breve, poteva capire quali fossero le doti migliori di un giocatore, punto e basta.

Il Ferrascini, quella domenica, l'aveva ascoltato per bene. S'era seduto con lui al tavolo della merenda mentre gli altri soci continuavano a tirare bocce a caso e a prendersi in giro, e s'era lasciato convincere.

Se lo lasciasse dire da uno, aveva ribadito lo Stimolo, che se quella maledetta pressa del cazzo non gli avesse mangiato un braccio poteva magari essere campione regionale o forse di più.

«Te c'hai una dote naturale.»

E come tutte le doti, se voleva farla diventare qualcosa di prezioso, andava coltivata. Se no poteva andare avanti a tirare le bocce tanto per fare e a mangiare pane e salame al crotto.

Decidesse lui.

Ma riflettesse anche che buttare via un dono del genere era quasi un peccato mortale.

Il Ferrascini era rimasto colpito dalla serietà con la quale lo Stimolo gli aveva parlato.

Fino ad allora gli era sembrato di essere uno normale e mai l'aveva sfiorato l'idea che le bocce potessero essere così importanti, ma l'intensità del discorso del gestore del Circolo gli aveva allargato i polmoni.

«Forse credevi che le bocce sono solo una cosa da circolo o da crotto?» aveva insistito lo Stimolo.

E che per giocarci bastava tenerne in mano una e tirarla?

Poi aveva sparato il colpo grosso, dicendogli che se passava da lui il giorno seguente gli avrebbe fatto vedere l'album dove conservava le foto e gli articoli di giornale, «La Provincia», «Il Resegone», «L'Ordine», «Il giornale di Lecco», dove parlavano di lui e delle sue imprese sui campi di mezza Lombardia.

«Con un buon allenatore puoi diventare come me», aveva affermato lo Stimolo.

Sull'identità dell'allenatore non c'erano dubbi.

Il Ferrascini era tornato a casa pensieroso.

Vedeva già il suo nome sul giornale e aveva faticato a prendere sonno.

Il giorno seguente, dopo il turno al cotonificio, era volato al Circolo.

«Allora?» gli aveva chiesto lo Stimolo.

«Mi faresti vedere quell'album?» gli aveva fatto eco l'Abramo.

Le foto del Mario Stimolo con le bocce e qualche coppa in mano ma soprattutto quei quattro trafiletti in cui il gestore compariva con tanto di nome e cognome, l'avevano deciso.

«Pronto», aveva detto.

«C'hai la morosa?» gli aveva chiesto lo Stimolo.

«No, perché?» s'era incuriosito il Ferrascini.

Perché un vero atleta era meglio se non aveva troppi pensieri, di donne soprattutto.

«Ah, be', se è per quello stiamo tranquilli», aveva assicurato il Ferrascini.

Stava troppo bene così come stava, aveva aggiunto. Le morose le lasciava agli altri.

E se poi sentiva il bisogno, prendevano su in compagnia e andavano a fare un giretto oltre Lecco, sulla statale dopo Valmadrera, da quelle da mille lire col guanto.

«È così che si fa», aveva approvato lo Stimolo visto che la Moribonda non c'era.

Poi s'erano stretti la mano.

L'Abramo aveva porto la destra, d'istinto, poi l'aveva cambiata con l'altra.

«Vedrai!» aveva esclamato Mario Stimolo.

La scuola di bocce era cominciata subito, e tempo un mese il Mario aveva detto al suo allievo quella cosa, che come individuale non andava bene.

Il Ferrascini s'era preoccupato.

Addio sogni di gloria?

Proprio adesso, quando cominciava a sganassare coi soci, a covare il sogno di diventare un campioncino, di poter vedere anche il suo nome su qualche titolo di giornale?

«Fidati», aveva risposto Mario Stimolo con un sorriso da gatto.

18.

«Fidati», disse l'Abramo Ferrascini.

Doveva fidarsi, sedersi, ascoltarlo senza interrompere. Lo Stimolo ingoiò quello che stava per dire.

«Avanti.»

Ma non si sedette.

L'Eraldo stava male male, ripeté il Ferrascini.

«Questo l'hai già detto», interloquì il gestore del Circolo.

«Ma allora...» sospirò l'Abramo.

Cristo, glielo aveva appena detto di lasciarlo parlare senza interromperlo!

E di sedersi.

«Ma siediti!» insisté l'Abramo cui la vista della manica orfana appuntata alla spalla dava sempre un po' di disagio.

Il Mario Stimolo tenne duro, in piedi, di lato al tavolo.

Prima di riprendere, il Ferrascini corrugò la fronte e acuì l'udito: dalla camera da letto non giungevano più le note singhiozzanti della moglie.

Se l'Eraldo stava male male come avevano detto i dottori di Lucerna, ricominciò, ma male che gli avevano dato due giorni di vita al massimo...

«Il prevosto ha detto che gli è scoppiata una cosa in testa», puntualizzò.

...si mettesse lui nei suoi panni, poteva dire va be', che peccato, mi spiace?

«Mettiti nei miei panni», ripeté il Ferrascini, «come se

stesse male male tuo cognato. Cosa faresti eh? Non accompagneresti anche tu la Moribonda?»

«Mia moglie è figlia unica», fece notare il Mario Stimolo.

E poi si chiamava Maria Teresa.

Va be', d'accordo, lo Stimolo aveva quella fortuna, lui no!

Ma si mettesse comunque nei suoi panni.

Lui aveva una moglie che aveva appena smesso di piangere come una fontana perché era affezionatissima alla sorella e se in quell'occasione non l'avesse portata su gli avrebbe piantato un muso da quel momento fino all'eternità.

Lo sapeva, no?, com'erano fatte le donne, come reagivano in certe situazioni!

«Però basta fare i conti», spiegò il Ferrascini.

Due giorni di vita al povero Eraldo, uno ormai era a metà.

«Il secondo domani.»

Beninteso, se tirava fino a domani!

«Ma metti anche che muoia mercoledì.»

Giovedì o massimo venerdì il funerale, perché non pensava proprio che in Svizzera i morti li tenessero lì per bellezza, il sabato lui tornava e domenica era pronto, fresco come una rosa per la semifinale.

Lo Stimolo stava guardando la cerata che copriva il tavolo, fagiani e lepri sullo sfondo di un prato fiorito.

A fior di labbra stava rifacendo i conti.

«Vai su in treno o in macchina?»

«Macché treno!» sbottò il Ferrascini. «Macchina, faccio il San Bernardino.»

Il gestore del Circolo si grattò il moncherino, cosa che all'Abramo fece venire la pelle di cappone.

«Però sta' attento», disse.

Perché se gli faceva lo stesso scherzo dell'altra volta, quando per la storia della morosa gli aveva mandato a puttane la coppia per il campionato provinciale, era meglio per lui che non si facesse più vedere, che cambiasse paese.

Che, già che c'era, se ne restasse in Svizzera per il resto dei suoi giorni.

19.

Non andava bene come individuale perché non aveva la pazienza dell'accostatore, tutto lì.

Gli accostatori erano anche loro una razza particolare, proprio come i bocciatori. A differenza di questi ultimi, però, erano personaggi silenziosi, sembravano grigi, non gli avresti dato una cicca.

Topi.

Ma se stavano zitti era perché intanto misuravano distanze e calcolavano velocità, se sembravano grigi era per darti l'impressione di non valere un cazzo.

Poi una volta all'opera ti inculavano.

«Nessuno è perfetto», l'aveva consolato Mario Stimolo.

Lui era come uno che vede una donna e vuole saltarle addosso subito senza nemmeno salutare o farle su un po' bello. E non andava bene nemmeno in una terzina o in una quartetta, perché era difficile trovare giocatori che avessero il suo rendimento.

Andava bene come bocciatore, per quello era perfetto, nato per il tiro di raffa e di volo.

«E allora?» aveva chiesto il Ferrascini.

«E allora devi giocare in coppia con un accostatore di quelli giusti», aveva spiegato lo Stimolo.

«E chi è?» aveva chiesto l'Abramo.

«So io», era stata la misteriosa risposta del gestore del Circolo.

20.

L'accostatore giusto c'era, si chiamava Fermo Tontoli ed era di Dervio, tesserato per la bocciofila di lì.

Era uno secco come un arbusto invernale, con due occhi che non stavano mai fermi. Dava l'impressione di dover sempre tenere sotto controllo tutto ciò che capitava dentro il suo raggio visivo. Anche lui operaio presso il cotonificio, andava e veniva da Dervio a piedi e, estate o inverno che fosse, sempre con la stessa giacca di due misure più larga, le maniche penzoloni. Aveva anche un bel naso che sembrava sempre in fuga dalla faccia.

Giocava in una quartetta e non era mai andato più in là di qualche trofeo alla memoria di questo o di quello, robetta di nessun conto, a causa della scarsa abilità dei suoi compagni.

Il Mario Stimolo l'aveva visto lì al Circolo in un paio di occasioni e al suo occhio non era sfuggito che rispetto agli altri aveva una marcia in più. Era crapone però, forse anche un po' pigro. Nonostante varie richieste non aveva mai voluto lasciare la società del suo paese. Alle offerte rispondeva scrollando le spalle, diceva che alle bocce si divertiva, ma finiva tutto lì. Nel tempo libero preferiva dedicarsi all'orto. Ragionava come se avesse settant'anni e non ventotto e ciò era talvolta motivo di ludibrio da parte dei suoi soci di linea al cotonificio, che l'avevano soprannominato Tomàtes e che spesso gli consigliavano di cominciare a pensare a quella cosa là, tralasciando cipolle e zucchine, prima che fosse troppo tardi.

In quelle occasioni il Tontoli stava ad ascoltare arrossendo e guardandosi in giro sempre con quei movimenti oculari rapidi, come se cercasse un posto dove nascondersi.

Finché un giorno, quando s'era fermato dopo il turno del mattino per fare un po' di straordinario aiutando in magazzino, anziché a casa era andato a mangiare un po' di zuppa al Circolo dei Lavoratori.

Era stata l'occasione grazie alla quale aveva cominciato a capire cosa intendessero i suoi soci quando gli dicevano che uno sfogo ci voleva e gli chiedevano se i calli che aveva sulle mani fossero tutti per colpa della vanga che maneggiava nel tempo libero.

21.

Al Mario Stimolo quelle cose di morosi e morose non interessavano.

La Moribonda invece, nonostante sembrasse imbalsamata, non si perdeva nessuno dei movimenti dei suoi clienti, nessuna delle chiacchiere e dei pettegolezzi che salivano dai tavoli del Circolo. Registrava ogni cosa come se avesse un nastro magnetico dentro la testa ed era uno degli argomenti, il più corposo, che trattava con suo marito alla sera, una volta chiusa bottega.

Parlava lei.

Chi era morto, chi stava per morire, chi sarebbe morto, chi guardava chi e perché e percome.

Una sera, tra le tante altre cose, aveva detto che il Tontoli era innamorato della Rosalba e che alla Rosalba non sarebbe dispiaciuto se il giovanotto si fosse fatto avanti.

Come suo solito lo Stimolo era stato zitto, tanto la Moribonda sarebbe andata avanti lo stesso.

«Come mai lo so?» s'era chiesta infatti la donna, per poi rispondersi.

Prima di tutto perché il Tontoli, dalla volta che era capitato lì da loro un mezzogiorno per mangiare un piatto di zuppa, quando faceva il turno del pomeriggio o della notte, aveva cominciato a essere cliente fisso.

«Mi spiego», aveva detto la Moribonda.

Entrava, si piazzava lì alle nove del mattino e, con buona pace di tomàtes e zuchìn, non si schiodava fino a quando non vedeva arrivare la Rosalba a prendere il solito mezzo litro di manduria rinforzato per la tavola del genitore. Come la vedeva entrare diventava rosso e sudava anche un po'. Al punto che una mattina la Rosalba, ridendo come un'ochetta, le aveva chiesto chi fosse quel bel giovanotto lì («Bello dove poi, con quel naso che gli scappava via dalla faccia», aveva chiosato la Moribonda), e se per caso non fosse innamorato di lei.

«Cioè di me voleva dire», aveva specificato la Moribonda.

E lei aveva risposto:

«No, di te».

La Rosalba, alla sua uscita, era diventata di brace e aveva mormorato una cosa tipo «Ma non mi dica!», quasi scappando come se dovesse fare la pipì e dimenticando sul bancone il mezzo litro.

Il Mario Stimolo non aveva un nastro magnetico in testa come sua moglie, ma un archivio, quello sì, pieno di cose che riguardavano le bocce. Inoltre si fidava ciecamente dei giudizi della Moribonda e del fatto che l'amore fosse cieco: quindi aveva agito di conseguenza.

Quando aveva detto al Ferrascini di conoscere l'accostatore giusto per lui, l'archivio s'era aperto e l'amore segreto del Tontoli per Rosalba era diventato affar suo.

Così una mattina, prima che la Rosalba arrivasse, s'era seduto al tavolo accanto al Tontoli. Prima l'aveva imbesuito di complimenti per la sua abilità di accostatore, «sprecata nella quartetta dove giochi, precisi come te ce ne sono pochi in giro», poi l'aveva rilassato con qualche bicchiere di vino e infine aveva sparato la cartuccia che teneva in serbo.

«Io te lo dico per il tuo bene», aveva sussurrato, «se vuoi fare bella figura con la Rosalba...»

Il Tontoli era diventato ancora più rosso del manduria che stava bevendo.

Lo Stimolo gli aveva messo la mano sul braccio, quella che gli era rimasta.

«Sta' tranquillo, sono affari tuoi, a me non interessa. Te l'ho detto, lo faccio per il tuo bene. Ma se vuoi fare bella figura col vecchio non ti conviene dirgli che sei della bocciofila di Dervio, a meno che non lo sappia già.»

Il genitore della ragazza infatti era stato un fondatore della bocciofila anteguerra che poi, a causa di certi casi e casini, era andata a balle all'aria. Fondatore e giocatore, niente di speciale, peraltro protagonista di certe scazzottate dopo le gare che avevano opposto i due paesi di cui molti conservavano ancora le cicatrici e che erano state l'inizio di inimicizie mai più sanate.

Il Tontoli aveva balbettato qualcosa.

Mario Stimolo aveva sorvolato, aveva fatto un gesto della mano come se volesse spazzar via dall'aria le parole che aveva appena pronunciato, scusarsi di averle dette. Si era alzato millantando un po' di mal di schiena per rallentare la mossa e, in cauda venenum, aveva mormorato:

«Certo la faccenda cambia aspetto se, anche se sei di Dervio, gareggi per la nostra bocciofila. Vedi un po' tu comunque, ti saluto».

Così l'amore aveva vinto, la coppia era nata.

Anzi, le coppie.

22.

«Sta' tranquillo», disse il Ferrascini.

Lo Stimolo non lo era per niente. La fregatura dell'altra volta gli bruciava ancora e non era disposto a patire la cocente delusione che proprio il Ferrascini, grazie al suo sconsiderato agire, gli aveva procurato.

«Io ti ho avvisato», rispose.

D'accordo, pensò l'Abramo, era chiaro anche a lui che non poteva permettersi di commettere errori di sorta che avrebbero compromesso la semifinale.

Ma adesso doveva pensare a quell'altra faccenda.

Uscito lo Stimolo, si appoggiò un istante alla porta di casa. Sudava un po': il gestore del Circolo, anche se aveva un braccio solo, o forse proprio per quello, lo inquietava. Quando poi parlava di bocce gli veniva una faccia cattiva, come se gli avessero inzigato la Moribonda o Maria Teresa che fosse.

Fatto qualche bel respiro, si passò una mano sul viso.

"Speriamo di aver capito male."

Fu solo un pensiero, una speranza, una preghiera.

Ma aperta la porta della camera da letto e dato uno sguardo alla Rosalba, comprese di aver capito fin troppo bene.

La donna sembrava una lumaca di quelle col guscio, seduta com'era sul letto, chinata in avanti, quasi a toccare col mento le ginocchia e le mani che sbucavano tra le gambe tenendo in mano la carta d'identità.

Più scaduta di così!

Gliela sfilò dalle dita senza che lei facesse una mossa o dicesse qualcosa.

Scaduta, porca troia!

E anche da un bel po', porco il demonio infame!

Ma come si poteva essere così oche!

E adesso?

«Adesso dai, via!» sbottò il Ferrascini.

La Rosalba sollevò il viso verso di lui.

A sua volta lui la guardò senza parlare.

Voleva andare dalla sua sorellina?

Voleva arrivare in tempo a trovare il povero Eraldo, morto, mezzo morto o quel che l'èra?

Sì o no?

E allora via, non c'era tempo da perdere.

Bisognava rinnovare la carta d'identità.

Prima roba, fare le foto.

Guardò la moglie.

Guardò la moglie, cristo che faccia!

23.

La faccia ce l'aveva messa lei, la Rosalba.

La storia col Tontoli era durata poco o niente, ed era toccato a lei mettere la parola fine.

Un po' di colpa, se le cose erano andate male, ce l'aveva anche il Tontoli in verità. Si portava dietro la fidanzata quasi sempre e quasi dovunque.

Tutti i martedì sera, per esempio, quando, chiuso il Circolo dei Lavoratori, lui e l'Abramo si allenavano sotto l'occhio severo del Mario Stimolo che osservava, criticava e correggeva posizioni.

Nel giro di pochi mesi il Ferrascini e il Tontoli erano diventati una coppia quasi perfetta.

Bravi nel gioco e belli da vedere.

Il Ferrascini, prima di lanciare, aveva preso il vezzo di baciare la boccia, poi via!

Lanciava con un gesto elegante, e anche musicale perché lo accompagnava sempre con un fischio che ricordava vagamente il *Carnevale di Venezia.* Il Tontoli invece sembrava un gatto che avesse visto un merlo: avanzava a passettini corti corti, gobbo, e quando lanciava sembrava che il braccio si allungasse per portare la boccia dove voleva lui.

La Rosalba applaudiva, sia l'uno sia l'altro.

Poi aveva continuato ad applaudire tutti e due, ma gli applausi che dedicava al Ferrascini avevano cominciato a essere più forti, convinti, entusiasti: la colpa stava tutta nel fatto che mentre il Tontoli si chiudeva nel silenzio concentrato dell'accostatore per calcolare la velocità che gli serviva, il Ferrascini invece bocciava di volo o di raffa, gridando il colpo che stava per fare, colpiva le altre bocce con uno schianto che nel silenzio notturno del Circolo faceva eco, dava un'immagine di forza, determinazione, volontà indefessa. E oltre al resto era un bel giovanotto, più alto del Tontoli, proporzionato. Più spiritoso anche e solo un pelo ganassa o ganassa proprio, però simpatico, così sembrava a lei. Nemmeno il Mario Stimolo riusciva a stare serio quando l'Abramo prendeva in giro il socio per via di quel naso che sembrava finto tant'era l'idea che dava di volersene scappare da qualche parte. Rideva anche lei in quelle occasioni, tanto più che il Tontoli non diceva mai niente, quasi che non avesse sentito.

Per un po' di tempo la Rosalba non si era resa conto che andava in giro a braccetto col Tontoli immaginandosi di essere col Ferrascini.

La tragedia era cominciata quando aveva capito.

Nel giro di un paio di giorni si era trasformata nel negativo di sé stessa, silenziosa e afflitta, una figuretta inappetente e sospirosa.

«Se gh'èt, cos'hai?» avevano cominciato a chiederle nell'ordine padre e sorella.

«Niente», rispondeva lei.

A far intendere che invece era tutto il contrario.

Ma ormai non c'era più niente da fare a suo giudizio.

Del Tontoli non le importava più una cicca, il solo pensarsi attaccata al suo braccio le faceva venire la pelle d'oca. Covava, senza riuscire a ricacciarle da dov'erano venute, fantasie di figli con lo stesso naso inquieto del derviese. Però, stante la situazione – il fidanzamento era cosa pubblica, e avevano cominciato a frequentarsi anche in casa –, sentiva di non potersi più ritirare dall'obbligo di sposarlo.

L'unica libertà che sentiva di avere era quella di poter

piangere sul suo amaro destino. Ne approfittava largamente la sera, lacrime cui dava libera uscita a letto, con la testa sotto il cuscino.

Nel frattempo più di un socio del Ferrascini s'era sposato, la compagnia dei donda, quella che ogni tanto andava a fare un giretto sulla statale dopo Lecco o passava le domeniche pomeriggio al crotto, se estate, o, se inverno, al cinema della Casa del Popolo a guardare due volte di fila lo stesso film, s'era ridotta all'osso.

L'Abramo aveva capito che nel destino di un uomo c'è prima o poi una donna e siccome aveva colto più volte gli sguardi lunghi e i rossori della Rosalba, ma soprattutto era al corrente che il vecchio di casa, gottoso e malandato di cuore, era in via di cedere la ferramenta, ci aveva fatto su più di un pensiero, senza mai decidersi a passare all'attacco e nemmeno preoccupandosi dell'ostacolo rappresentato dal suo socio accostatore.

Prima o poi, pensava, l'occasione giusta, quella da artigliare come fosse un rapace, sarebbe arrivata.

Così era stato.

Una sera erano in macchina con lo Stimolo. Lui, il Tontoli e la Rosalba, seduta davanti. Tornavano da Bulgarograsso dove avevano giocato e vinto la finale del Memento Belgioiosi. Come logica voleva il Mario Stimolo s'era fermato prima a Bellano per scaricare l'Abramo e la Rosalba e poi ripartire per Dervio portando a casa il Tontoli.

Così i due si erano trovati soli soletti.

«Va bene...» aveva squittito la Rosalba facendo le mosse di avviarsi verso casa.

«Se posso offrire un gelato...» aveva detto il Ferrascini senza saliva in bocca.

Era maggio.

Gelato e panchina, a guardare il lago e le luci di là.

Il martedì successivo, al solito allenamento, la Rosalba non s'era presentata.

Secondo il Tontoli non stava mica tanto bene, una specie di influenza.

Ma sulla via di casa, davanti al portone del municipio, il Ferrascini s'era trovato faccia a faccia con la Fioralba che aveva bisogno di parlare con lui.

24.

«Sì, va bene», disse l'impiegata comunale Piera Alberatti, addetta all'anagrafe, rossa di capelli e alito al marsala.

Anche ammesso che il fotografo Siccomini preparasse in fretta e furia le foto di sua moglie...

«Di solito ci impiega tre giorni», chiosò l'impiegata.

Comunque, riprese, anche ammesso che le preparasse per l'indomani, poi sulla carta d'identità ci voleva la firma del sindaco.

Bon, fece segno con la testa il Ferrascini, era andato in Comune proprio per sapere tutto quello che serviva per rinnovare la carta d'identità.

«E il signor sindaco quelle cose lì le fa al sabato, prima di ricevere il pubblico», concluse l'impiegata.

Cosa significava, al sabato?

Il Ferrascini si guardò intorno come se cercasse aiuto.

Al sabato significa al sabato, stava ridacchiando tra sé l'Alberatti che non aveva niente altro da fare al momento, tuttavia diede mostra che invece...

«Serve altro?» chiese.

«No», rispose il Ferrascini.

«Allora buongiorno», fece l'impiegata.

«Buongiorno niente», replicò l'Abramo.

Aveva bisogno della carta d'identità e non se ne andava senza.

L'Alberatti socchiuse gli occhi come se avesse sonno.

«Cos'è tutta 'sta fretta?» sbottò.

«Affari miei», rispose seccamente il Ferrascini.

L'impiegata liberò un sorriso da iena poi diede un colpo di tosse per liberarsi l'ugola affinché tutti gli altri sentissero quello che stava per dire.

«Se ha tutta 'sta fretta, mi sa dire come mai la carta d'identità di sua moglie è scaduta da mo' e nessuno se n'è mai accorto o se si è accorto non si è preoccupato di rinnovarla per tempo? Poi la colpa è nostra perché a sentire voi non abbiamo voglia di fare niente, stiamo qui a scaldare le sedie e a grattarci lasciamo perdere cosa eccetera eccetera!»

Il Ferrascini restò senza parole. Gli altri impiegati lo stavano fissando.

«Se vuole glielo faccio dire anche dal signor segretario», insisté l'Alberatti per completare la vendetta sull'utenza pretenziosa.

Alla mossa, solo quella, che l'impiegata fece per dirigersi verso l'ufficio di segreteria il Ferrascini reagì.

Voltò le spalle ad Alberatti e compagnia che, ancora pietrificata, attendeva sviluppi e uscì senza salutare.

Il tempo volava.

Non si era mai accorto di come i minuti, le ore passassero così in fretta.

E forse l'Eraldo era già morto, chissà!

Uscito dal municipio volò al laboratorio del Siccomini.

Tre volte tanto, disse tra sé.

Anzi, si corresse, le foto della moglie gliele avrebbe pagate quello che voleva, bastava che gliele preparasse il prima possibile.

Per la firma del sindaco invece aveva un'altra idea, aveva la persona giusta con cui parlare e che poteva intercedere per lui col primo cittadino.

25.

La Fioralba tubava anziché parlare. Forse non toccava nemmeno terra quando camminava, mangiava fiori e naturalmente non cagava.

Per questo e altri motivi si capiva, era noto a tutti, a lei per prima, che non avrebbe mai sposato uno del paese o che venisse dagli immediati dintorni, aspettava il principe azzurro da oltre confine.

In ogni caso quella sera si era messa a rischio a suo modo di vedere: era infatti comparsa lì, davanti al municipio, al buio, col pericolo che qualche occhio di spia la vedesse e qualche lingua maledetta andasse a pensare chissà cosa, per dire al Ferrascini che non ci si comportava così con sua sorella.

«Che cosa?» erano le due sole parole che l'Abramo era riuscito a rispondere, sorpreso come se gli avessero tolto all'improvviso la terra da sotto i piedi.

«So tutto, mia sorella mi ha confessato ogni cosa», aveva detto la Fioralba.

La Rosalba non sapeva che lei era uscita da casa con la precisa volontà di incontrare l'Abramo e metterlo di fronte alle sue responsabilità. Lei però aveva deciso di azzardare quella mossa perché temeva per la salute della sorella, in fin dei conti non sarebbe stata la prima ad annegare la disperazione nelle acque del lago.

Il Ferrascini aveva tentato di obiettare, che caz..., ma niente da fare.

«Zitto», aveva ordinato la Fioralba.

Che l'ascoltasse e basta.

Se lui era innamorato di lei, come la Rosalba le aveva detto, se insieme con lei gli sembrava di stare in paradiso, come spesso lui, secondo quanto riferito dalla sorella, le aveva detto, se era vero, sempre stando alle parole della Rosalba, che lui avrebbe sposato sua sorella o nessun'altra, allora era maturo il tempo di prendere una decisione, perché la poveretta si stava consumando di lacrime mentre quell'altro, quello di Dervio, il Tontoli, aveva cominciato a parlare di metter su una casetta e quante stanze e quanti figli.

«Senza tener conto che nostro padre è ammalato», aveva aggiunto la Fioralba.

Il che voleva dire che fino a quando il Signore avesse voluto tenerlo al mondo ci voleva qualcuno in casa che badasse a lui.

«E io non ci sarò sempre», aveva aggiunto la Fioralba.

Prima o poi infatti il principe azzurro sarebbe spuntato e lei avrebbe preso il volo da quella colombella che era.

Volendo, non si poteva nemmeno dimenticare che c'era da tenere in conto la ferramenta. Parlando per ipotesi naturalmente, come se il genitore fosse già morto.

«Un marito e una moglie giovani la possono mandare avanti senza nessun problema», aveva osservato la Fioralba.

Spiaceva venderla se la Rosalba fosse andata in sposa al Tontoli, che aveva sempre detto di non essere interessato al commercio, ma d'altronde...

«Io non posso farci niente», aveva affermato la Fioralba.

Era fin troppo evidente che non solo avrebbe sposato uno di fuori ma anche che non sarebbe rimasta a vivere in paese visto che il principe azzurro non poteva che venire da oltre confine.

Al Ferrascini era sembrato di aver vissuto fuori dal tempo per un certo periodo.

Per quanto aveva parlato la sorella della Rosalba?

Dieci minuti?

Un'ora?

Chi s'era inventato tutte quelle cose che lui non aveva mai detto, la Rosalba o la Fioralba?

Chiunque fosse stato, aveva riflettuto nel momento stesso in cui la Fioralba aveva chiuso la bocca, gli aveva comunque fatto trovare la pappa pronta.

«Cosa posso fare?» aveva chiesto.

«Vieni su in casa da noi, domani sera», aveva risposto la Fioralba.

Una volta solo il Ferrascini aveva riso tra sé. Grazie a un unico gelato aveva sottomano la possibilità di sistemarsi, servizio completo: donna, casa e bottega.

Roba da matti!

26.

Il fotografo gli disse che se non voleva che prendessero sua moglie per una scappata dal manicomio, prima dello sviluppo doveva ritoccare un po' la lastra per la fototessera che aveva appena fatto.

«Ma è malata?» chiese poi.

Gli aveva fatto impressione con quel viso tumefatto, gli occhi pesti, speluscita e silenziosa.

Il Ferrascini sorvolò.

Prima di uscire da casa con la Rosalba, quasi trascinandola per andare dal fotografo, l'Abramo le aveva detto di ricomporsi un po'.

Sembrava una di quelle prugne secche che metteva a bollire quando era stitica, le aveva detto con malagrazia.

Che si mettesse un po' di cipria, quel cazzo che voleva, sapeva niente lui dei pastrugni delle donne!

La Rosalba per tutta risposta s'era chiusa nel cesso per un paio di minuti, forse però aveva solo fatto la pipì perché quando ne era uscita la faccia era tale e quale a prima.

Va be', amen, erano partiti perché tempo da perdere non ce n'era.

«Quando me le puoi dare? Ti pago quello che vuoi», tagliò corto l'Abramo.

«Facciamo domani», rispose il Siccomini, e con un sospiro, come se stesse facendo un gran favore.

«Macché domani!»

«E quando le vorresti?»

«Anche adesso, subito, dopo.»

«Ma come, dopo?»
«Massimo alle tre, quando riapre il municipio», disse il Ferrascini.
«Ma devo ancora svilupparle, poi c'è il ritocco...» obiettò il fotografo.
«Lascia perdere il ritocco», ordinò l'Abramo.
«Ma ormai sono le undici, non mi ci metto prima di andare a mangiare», lo informò il fotografo.
«E tu lascia perdere il mangiare e pensa alle foto. Te l'ho detto, ti pago quello che vuoi, fai tu il prezzo.»
«Ostia, ma cos'è 'sta fretta? Non sta mica morendo nessuno!»
All'uscita del Siccomini rispose una ripresa dei singhiozzi della Rosalba che, dopo aver posato davanti alla macchina fotografica, s'era appoggiata alla parete del negozio di fronte a una vetrina dove erano esposte pellicole e cornicette. Aveva puntato lo sguardo su una di quelle ovali e pensava al bel viso dell'Eraldo, come l'aveva visto la prima volta, dentro una così.
«Cos'ho detto di male?» sbottò il Siccomini, più curioso che pentito.
Il Ferrascini colse l'attimo.
Gli schiacciò l'occhio.
Voleva dire che adesso non poteva, ma più tardi, dopo, un altro giorno gli avrebbe spiegato tutto, anche il motivo di tutta la fretta che aveva.
«Allora, 'ste foto?» chiese.
Il Siccomini preso in contropiede cedette.
«Alle quattro, dai», rispose.
Perché in fin dei conti qualcosa doveva pur mangiare.

27.

I

Una cosa del genere alla Rosalba non era mai capitata. Le aveva tolto l'appetito e anche il sonno.

L'aveva messa allegra però, un po' scemetta. Per giorni e giorni si era sentita leggera e le era sembrato di capire cosa intendeva qualcuno quando diceva che vedeva la vita in rosa.

A ridurla in quello stato era bastato un mezzo bacio che aveva dato all'Eraldo.

Oppure che l'Eraldo aveva dato a lei. Non lo aveva mai capito.

Comunque fosse andata, era successo una sera, davanti alla porta di casa, ritornando insieme con lui e con la madre dall'aver assistito presso il bar Roma alla settimanale puntata del quiz televisivo *Lascia o raddoppia?* che era ormai l'unica cosa che teneva legata alla vita reale Stellina Coque, moglie di Bigonio Spotti e madre della Rosalba e della Fioralba.

II

Bella donna, originaria di San Mamete, la Stellina aveva conosciuto e poi sposato Bigonio Spotti quando questi, giovanotto, girava ancora per monti e vallate facendo l'ambulante e vendendo articoli per la casa. L'iniezione della dote in denaro che lei aveva portato, uscita come per miracolo dai materassi dei suoceri, aveva permesso ai due di comporre un capitale sufficiente ad aprire la bottega a Bellano, dove s'erano stabiliti. I primi vent'anni di matrimonio erano filati lisci come il lago prima del vento. La bottega aveva prosperato, erano nate due figlie, prima la Rosalba poi la Fioralba. Le cose avevano cominciato ad andare per il verso sbagliato quando la Coque, conquistata dalla novità e poi plagiata, aveva cominciato a seguire *Lascia o raddoppia?*, per la qual cosa aveva dovuto frequentare il bar Roma, esercizio dotato di uno dei primi televisori giunti in paese, essendo il marito contrario a ogni innovazione e poco propenso a gettare soldi per acquistarne uno.

Di puntata in puntata Stellina Coque s'era sempre più appassionata alla trasmissione, niente e nessuno gliel'avrebbe fatta perdere. Ma durante una di quelle sere si era verificato il patatrac.

Era successo quando un concorrente non era riuscito a rispondere a una domanda mentre lei, incapace di contenersi e stupendo i presenti che seguivano in collegiale silenzio, era saltata sulla sedia e l'aveva fatto ad alta voce.

«Russia!» aveva gridato, rispondendo con esattezza alla domanda posta da Mike Bongiorno circa il luogo d'origine della Blatta orientalis altrimenti nota come scarafaggio nero comune. Quando dal conduttore era arrivata la conferma che la Stellina aveva risposto giusto, la sala aveva reagito con un applauso, dopodiché tutto era sembrato finire lì.

Invece no.

Perché da quel momento Stellina Coque aveva cominciato a covare in gran segreto l'idea di prendere parte al programma in qualità di concorrente. Dapprima aveva deciso che si sarebbe presentata quale esperta in entomologia, materia della quale aveva una certa infarinatura essendo nata e cresciuta in montagna, dopodiché aveva anche stabilito di mettere su qualche chilo, visto che le concorrenti ammirate sullo schermo erano pettorute e dotate di un discreto tafanario, molto ammirato dagli spettatori presenti nella sala del bar Roma.

Ciò stabilito, era partita per la tangente.

Circa gli insetti, di cui sino ad allora conosceva in verità soltanto le punture di vespe e tafani e la noia delle mosche d'estate, aveva chiesto aiuto all'anziano e anche un po' rincoglionito maestro Fiorentino Crispini, il quale le aveva fornito i due volumi del compendio di entomologia applicata, agraria, forestale, medica e veterinaria del celebre studioso di Bevagna, Filippo Silvestri. Riguardo al seno, il problema si era rivelato più complesso, poiché lo voleva almeno pari a quello della più ammirata tra le concorrenti del gioco televisivo, Maria Luisa Garoppo, specializzata in tragedia greca, dalla cui figura in profilo spuntavano due tette simili a punte di siluro. Verificato che c'era ben poco da fare per riempire le due vescichette che madre natura le aveva donato, aveva elaborato vari tipi di farcitura del reggiseno che provava in segreto e in segreto teneva poiché lo avrebbe esibito solo nel momento in cui Mike Bongiorno o chi per esso l'avrebbe chiamata. Studiava di notte, mentre il resto della famiglia dormiva, e attendeva una lettera che la invitasse al gioco televisivo, chiamata che non giunse mai poiché la Stellina, già un po' svanita, aveva scordato di inoltrare la necessaria domanda di ammissione.

Lo studio notturno e l'attesa della chiamata l'avevano consumata poco alla volta, erosa dentro, nel corpo e nella mente, tanto che a un certo punto la Stellina aveva cominciato ad accusare il marito e le figlie di intercettare le lettere che Mike Bongiorno in persona le scriveva di continuo per implorarla di accettare la partecipazione alla sua trasmissione.

Interrogata sul perché il famoso presentatore televisivo avrebbe dovuto scrivere proprio a lei, la Coque aveva cominciato a dare risposte stravaganti come quella che il

Bongiorno l'aveva vista una volta che era stato lì a Bellano in gita e aveva riconosciuto in lei l'artista, forse un'attrice, perché lui sì che ci capiva, mica come quell'imbecille di suo marito, ottuso e traditore. Le accuse al Bigonio, spesso urlate a gran voce dalla donna, più di una volta avevano avuto quale cornice la ferramenta, cosa che aveva favorito il diffondersi della chiacchiera attorno alle manie della Stellina, giustificate dai familiari con una malattia che peraltro il dottore non riusciva a identificare se non con un gesto, che era quello di portarsi un indice alla tempia e picchiettarlo senza aggiungere parole.

Era stato in quel periodo che in casa Spotti era entrato il tanto atteso principe azzurro nella persona dell'oggionese, e allo stato morente, Eraldo: occasione da prendere al volo poiché i principi azzurri sono rari come gli asini che volano.

III

L'Eraldo era giunto a Bellano poiché, con un complessino di quattro elementi, prendeva parte a una manifestazione canora intitolata «CantaLario», una sorta di Festival di Sanremo itinerante che aveva coinvolto parecchie pro loco del lago di Como e riscuoteva un notevole successo di pubblico, non solo giovane. Cantava canzoni romantiche e strappalacrime, amori finiti, poveracci che morivano in miniera, emigranti che non riuscivano a tornare da madri, mogli, figli o fidanzate. Era pallido come un vero artista ed elegante come un beccamorto. La Fioralba invece era presente sul palco in qualità di damigella d'onore del presentatore, scelta tra coloro che si erano offerte per quel ruolo poiché era scarsa di tette e di culo come sua madre, il che non avrebbe scatenato fischio o schiamazzo da quella parte di pubblico che non perdeva occasione per dimostrare la propria grettezza. L'incontro tra i due era avvenuto dietro le quinte e trattandosi di un principe azzurro e di una ragazza che l'aveva tanto atteso, si era dimostrato subito fatale.

IV

La Rosalba, sempre più invaghita del Ferrascini il quale, con la strada spianata, faceva piani di nozze a breve con l'imprimatur della famiglia, era, senza aver mai visto l'Eraldo, la prima depositaria del segreto d'amore della sorella.

Non solo, aveva anche fatto da ambasciatrice della novità presso il genitore. Di dirlo alla Stellina, che viveva ormai solo nell'attesa della chiamata in tivù, non pareva davvero il caso.

Alla notizia il vecchio Spotti aveva storto il naso.

Poi però, saputo che l'Eraldo faceva il canterino solo per sport e aveva alle spalle una solida attività quale poteva essere una trattoria a quei tempi, l'aveva raddrizzato e ne aveva permesso l'ingresso in casa, destando nella Rosalba un malcelato, inquietante turbamento.

Tra le prime peculiarità di casa, all'oggionese era stata illustrata la penosa situazione della Stellina Coque.

Soprattutto l'avevano avvisato che sembrava rientrare completamente in sé solo le sere in cui andava in onda la puntata di *Lascia o raddoppia?*.

Guai, in quelle sere, proibirle di uscire da casa.

Il dottore stesso aveva sconsigliato di opporsi alla sua volontà, di trattenerla con la forza entro le mura domestiche, a rischio di provocare reazioni anche violente.

Meglio assecondarla, magari accompagnandola in modo da costituire una sorta di cordone sanitario che la proteggesse da sé stessa e dai curiosi.

In una di quelle sere, la Fioralba indisposta, l'Eraldo s'era sostituito a lei e aveva accompagnato la Rosalba e la Stellina al bar Roma. I due s'erano seduti alle spalle della Stellina, misura precauzionale, pronti a brancarla nel caso le fosse venuto l'estro di saltare sulla sedia e sbraitare contro i suoi invisibili nemici come era già successo in un paio di occasioni. La Stellina invece s'era quasi addormentata, segno di un declino che stava viaggiando a grandi passi, mentre i due s'erano più volte guardati di sottecchi. Poi, una volta riaccompagnata a casa la demente, mentre quella saliva le scale verso l'abitazione, la Rosalba aveva ringraziato l'Eraldo per la gentilezza e senza controllare lo slancio gli aveva dato un bacio.

Sulla guancia.

Almeno, quella era l'intenzione.

Perché il movimento che l'Eraldo aveva fatto con la testa, volontario forse?, aveva favorito l'incontro per un brevissimo istante delle loro labbra.

Tutto era sembrato finire lì.

Ma era finito davvero?

Ciò che per davvero era arrivato al capolinea era la vita della Stellina Coque che s'era consumata come se avesse avuto il mal sottile e se n'era andata agli inizi del 1957, dando così modo al dottore di dire che a portarsela via era stata l'asiatica e alla famiglia di cominciare a tirare il fiato. Una parentesi che era durata assai poco, perché quasi subito il Bigonio aveva cominciato ad avere misteriosi attacchi di cuore, i quali, all'istante, avevano fatto predire al dottore che al prossimo ci sarebbe rimasto secco.

28.

Il cuore, d'accordo.

Su questo non c'erano dubbi.

Ma, si poteva curare?, chiedevano a turno la Rosalba e la Fioralba.

Si poteva evitare che, come aveva cominciato a dire il dottore senza ricorrere a metafore, al prossimo ci restasse secco?

Sì, no, boh?

Il dottore non sapeva cosa rispondere, si arrampicava un po' sui vetri e scivolava giù. Aveva dato pastiglie, nitroglicerina e digitale, sperando che il cielo l'aiutasse e mettendo le mani avanti.

«Al prossimo ci resta secco.»

Il vecchio Bigonio non l'aiutava di certo, non aveva mai avuto vizi particolari contro i quali adesso si potesse puntare l'indice e predicare che era venuto il momento del redde rationem.

L'età, fuor di dubbio.

E poi...

Ma non aveva mai cippito circa una cosa di cui era fortemente convinto.

La Stellina.

Se Stellina Coque si fosse decisa a morire un po' prima anziché far ammattire la famiglia, e il marito in primis, con la mania che l'aveva presa, probabile che il cuore del Bigonio non avrebbe sofferto così tanto da ammalarsi proprio nel momento in cui se ne sarebbe potuto stare tranquillo ancora per un po'.

Ma c'era un limite a tutto, come si faceva a dire una cosa del genere?
Il Bigonio per un po' aveva sopportato in silenzio, ingurgitato medicine, assentito ai consigli del dottore, peraltro vaghi quando non banali. Soprattutto aveva sopportato quei dolori che andavano e venivano.
Poi una sera aveva voluto intorno a sé le figlie, sedute al tavolo della cucina.
«Quello là», aveva detto, e intendeva il dottore, «prima o poi ci indovina.»
Intendeva che prima o poi uno di quegli attacchi l'avrebbe fatto davvero secco.
«E quando arriverà il momento, voglio morire tranquillo.»
L'idea di lasciare due figlie in balia della vita lo teneva in ansia.
«Fate in modo che vi veda sistemate, tutte e due.»
E si capiva benissimo cosa intendesse.

29.

El prevòst el g'aveva i cài, aveva i calli.
Occhi di pernice.
D'inverno, soprattutto col freddo, un dolòooo...
Ma anche d'estate.
Insomma, la temperatura contava poco, quando facevano male facevano male.
Lo curava la perpetua.
Pediluvi.
Acqua tiepida, malva, sale grosso.
Una, due volte al giorno, e tutto sommato funzionava.
Il sacerdote stava, coi piedi a mollo, seduto nella sua camera con vista sulla piazza della chiesa quando il Ferrascini suonò al cancelletto della canonica.
Sui visitatori non c'era gara, come per le telefonate. Le visite erano di pertinenza esclusiva della perpetua, al suo insindacabile giudizio il prevosto si affidava per decidere se fosse il caso di dare udienza o di differire.
Il Ferrascini suonò nervoso, drin drin drin.
Vista l'ora, ormai era mezzogiorno, la perpetua se la prese con comodo.
Aprì la porta di casa, guardò, vide, non mosse un muscolo, disse:
«Se gh'è?».
L'aveva riconosciuto.
Il Ferrascini, quello della ferramenta, che prima lavorava al cotonificio, che andava al Circolo e a messa non si vedeva quasi mai, anzi, mai.

Comunista.
O socialista.
Nessuna differenza.
Non aprì il cancelletto della canonica. Aspettava la risposta.
L'Abramo alzò la voce.
«Avrei bisogno di dire due parole al signor prevosto.»
Il quale, sempre coi piedi a mollo, seguiva la scena da dietro la finestra della sua camera.
«Al gh'è minga!» rispose la perpetua.
Che imparasse la creanza.
L'èra mesdì, non si andava a casa della gente a quell'ora. E poi, comodo ricordarsi della chiesa solo quando si aveva bisogno.
Il Ferrascini sorrise anziché tirar giù un moccolo come gli era venuto d'istinto.
Ma se il prevosto era lì, alla finestra della sua camera?
La perpetua però restò ferma sulla sua posizione, fissando il comunista o socialista che fosse negli occhi.
Imparasse che quello che diceva lei, dentro i confini della canonica, era come vangelo.
«O dì che el gh'è minga!»
«Ma come...» balbettò il Ferrascini.
Il prevosto intanto aveva finito il pediluvio, si stava asciugando i piedi.
Abramo gettò un'altra occhiata, ma non lo vide più alla finestra.
Ocristo!, gli sfuggì, ma sottovoce.
«Ma se era lì un attimo fa», disse, indicando la finestra della camera.
«E adesso non c'è più», ribatté la perpetua.
Il Ferrascini si giocò l'ultima possibilità.
«È una questione di vita o di morte», cercando di darsi una nota d'angoscia.
«Chi è morto?» chiese la perpetua.
«L'Eraldo», sparò il Ferrascini.

Tanto poteva darsi benissimo che a quell'ora lo fosse per davvero.

«Ma se è su in Sviz...» fece per ribattere la perpetua.

Cosa c'entrava il prevosto di Bellano con uno che era morto in Svizzera?

In quel momento il prevosto giunse alle sue spalle.

Anche lui non capiva, ma gli sarebbe piaciuto farlo.

«Fate entrare», disse con voce da Vaticano. «Ci penso io, ci penso io.»

30.

Come da accordi presi con l'Abramo, ci aveva pensato la Rosalba a dismettere il Tontoli.

L'Abramo infatti le aveva detto che non voleva che finisse a botte, cosa, a suo giudizio, più che probabile se il derviese non l'avesse capita con le buone.

La Rosalba, considerando come l'Abramo tirava le bocce, violenza e precisione, s'era convinta e allora al Fermo Tontoli l'aveva detto lei che era inutile che andassero avanti con quella storia.

S'era fatta consigliare da Fioralba, che le aveva dato più di un suggerimento su come agire, cosa dire, cosa non dire.

E il Tontoli l'aveva presa male, malissimo.

La ragazza gli aveva fatto un bel discorso parlando di caratteri diversi, abitudini diverse, interessi e desideri diversi. Per semplificare le cose, gli aveva anche detto che, sebbene il proverbio affermasse il contrario, a volte era meglio rinunciare all'uovo di oggi e aspettare la gallina del domani. Tutta roba che era suonata nuova, e anche oscura, alle orecchie del derviese.

Si era commosso.

Aveva chiesto, con voce come di pecora, che fine avessero fatto i progetti comuni, la casetta, le camerette per i figli, le tendine per la finestra della cucina, l'orticello dove avrebbero ricavato un angolino per seminare i suoi fiori e i presepi natalizi che avrebbero allestito e che avevano immaginato insieme.

Era anche scoppiato a piangere a un certo punto e la Rosalba gli aveva messo una mano sulla spalla cercando di consolarlo.

«Su, su», aveva detto, «vedrai che prima o poi capiterà anche a te l'occasione giusta.»

A quell'uscita le lacrime del Tontoli s'erano arrestate, come se lui avesse chiuso un rubinetto.

Come, come?

Cosa significava quella frase?

Che lei...

La Rosalba era arrossita e s'era imparpagliata.

«Ma no, ma no...»

Avrebbe voluto sparire ma di fatto era rimasta lì.

Ma no un cazzo!

Il Tontoli non aveva voluto sentire ragioni. Asciugate le lacrime aveva afferrato la Rosalba al braccio e, stringendo, le aveva chiesto:

«Vuol dire che ce n'hai un altro?».

Ma no, ma no...

Le obiezioni della Rosalba sembravano il pigolio di un pulcino.

«Sì o no?» aveva insistito il Tontoli.

E intanto stringeva e stringeva.

Alla fine, temendo che il suo omero facesse crac, la Rosalba aveva ammesso.

«Sono cose che succedono...»

«Chi è?» chiese senza pietà il Tontoli, continuando a stringere.

«Ma cosa cambia, perché...»

«Ho detto chi è!» aveva gridato il Tontoli.

E allora, siccome alla Rosalba era sembrato di sentire uno scricchiolio sospetto, aveva pigolato il nome.

Il Tontoli aveva mollato il braccio e, ad altissima voce, aveva sparato una bestemmia tra le più orribili.

31.

La perpetua mollò i due e tornò in cucina, perché aveva su il mangiare.

Il Ferrascini seguì il sacerdote nel suo studio. Nonostante l'invito, evitò di sedere.

«Non voglio farle perdere troppo tempo», disse.

«Cosa c'è?» chiese il prevosto.

Il Ferrascini fece un colpo di tosse e annusò l'aria del locale, sapeva di malva.

«Ecco, mio cognato...» partì poi per riassumere tutta la storia, ma il prevosto lo fermò quasi subito.

«Ve l'ho portata io la tragica notizia questa notte», puntualizzò.

«Ah già», fece il Ferrascini, scusandosi, ma subito aggiungendo che comunque era lì per quel motivo.

«E sarebbe?» chiese il prevosto, curioso di capire quale profumo di cucina si stava piano piano sostituendo all'odore della malva.

«La carta d'identità... il sindaco...» sparò a caso il Ferrascini.

Non s'era preparato un discorso ordinato e adesso si trovava nelle pettole.

«Con calma», lo invitò il prevosto.

Dall'inizio.

L'inizio era che la Rosalba aveva la carta d'identità scaduta e quindi non poteva entrare in Svizzera.

«D'accordo», fece il prevosto. «Quindi?»

Quindi le serviva un documento nuovo di pacca per fa-

re il quale servivano le fotografie, i timbri, una forca l'altra...
«E la firma del sindaco», disse il Ferrascini.
Signor sindaco anzi, corresse subito.
«Va bene, ma io...» si stupì il sacerdote.
«Ecco», interloquì il Ferrascini che vedeva il traguardo e aveva ritrovato sicurezza.
Il problema era che il signor sindaco, che era ingegnere e aveva lo studio a Lecco, tornava a casa tardi e a volte tardissimo alla sera, in Comune ci andava solo una volta alla settimana, tranne casi rari o urgenti o quando c'era il consiglio, e gli affari correnti, come firmare una carta d'identità, li sbrigava solo al sabato che era il giorno in cui riceveva anche la gente che aveva bisogno di parlargli.
«Già a partire da oggi c'è il rischio di trovare l'Eraldo bello e morto», concluse il Ferrascini che, sicuro di essere a un passo dalla meta, aveva smesso di badare alle forme.
Figurarsi cosa avrebbero trovato se avessero dovuto aspettare sabato!
«Venendo al dunque...» lasciò in sospeso il prevosto che ormai sapeva cosa lo aspettava per pranzo, risotto giallo.
L'unica persona che lui conosceva, concluse il Ferrascini, e che poteva disturbare il signor sindaco alla sera, a casa sua, per una cosa banale come una carta d'identità scaduta, ma tenendo conto che si trattava di una questione abbastanza grave, era il signor prevosto.
«Se no...» fece il Ferrascini lasciando cadere le braccia lungo i fianchi.
«Ho capito», disse il prevosto, anche perché il risotto gli piaceva bello al dente, assicurando all'Abramo che avrebbe fatto visita al sindaco quella sera stessa.

32.

Una volta solo, dopo la confessione della Rosalba, il Tontoli aveva vagato per Bellano come un idiota, tanto che aveva anche perso l'ultimo treno per tornare a casa e s'era dovuto fare a piedi i quattro chilometri tra lì e Dervio.

La passeggiata però gli aveva fatto bene, gli aveva chiarito le idee, facendo maturare in lui propositi di vendetta.

Fosse stato più forte, avrebbe affrontato quel porco del Ferrascini e gliele avrebbe suonate. Ma era meglio mettere via il pensiero, se l'avesse fatta fuori a sberle era sicuro che ne avrebbe prese il doppio del doppio di quelle che per caso fosse riuscito a piazzare.

Il giorno seguente – faceva il turno del mattino al cotonificio –, aveva subito cominciato ad avere l'impressione che tutti o quasi lo guardassero, come se sapessero che la Rosalba l'aveva mollato per quel maiale del Ferrascini. Il malanimo che covava l'aveva portato a interpretare certi sorrisetti colti qua e là come rivolti a lui, la compassionevole indulgenza di chi crede di essere superiore agli altri, l'ironia verso chi aveva osato una cosa che sarebbe stato meglio non fare.

Aveva osato morosarsi con una di Bellano, lui, uno di Dervio?

Ecco, quello era il risultato.

Ah sì?, s'era detto il Tontoli.

Aveva tirato la fine del turno tritando catene. Alla campana era scattato come un centometrista ed era volato al

Circolo dei Lavoratori dove, alla presenza del Mario Stimolo, della Moribonda, che non aveva mosso un muscolo, e di un discreto numero di avventori aveva mandato a dar via il culo il Ferrascini, le bocce, tutti i bellanesi, presenti e assenti.

Nel silenzio creato dall'irruzione s'era levata solo la voce dello Stimolo, una laringe che stava combattendo tra il pianto e l'indignazione.

«Ma fra due settimane c'hai i quarti del campionato provinciale!»

«Me ne frega un cazzo!» aveva risposto il Tontoli. «Vacci te!»

Aggiungendo che, fosse per lui, poteva infilarsi tutto ciò che riguardava le bocce, compreso il regolamento tecnico di gioco, in un posto che aveva indicato senza ricorrere a metafore.

L'insospettabile violenza che il Tontoli era riuscito a esprimere gridando aveva paralizzato anche i ritratti di Gramsci e Turati che campeggiavano dietro il bancone del circolo.

Al Mario Stimolo era venuto un tremore mandibolare. La Moribonda, manco a dirlo, non aveva fatto una piega ma le era scappata una goccia di pipì. Gli altri presenti erano rimasti fissi nella posizione in cui si erano trovati quando la tempesta era cominciata, chi con il calice a mezz'aria, chi con le carte in mano senza preoccuparsi che qualcuno le potesse spiare.

La vita era ripresa solo poco dopo, quando il Tontoli ormai non c'era già più.

33.

Dopo la scenata del Tontoli al Circolo dei Lavoratori, la Moribonda aveva dovuto chiamare il dottore.

Cioè.

Tra i due, Moribonda e Stimolo, c'era un amore solido, indistruttibile.

Lui l'amava perché era così, bella, ciccia e imperturbabile come una dea.

Lei lo amava perché dopo averlo visto la prima volta aveva sognato un angelo che le diceva che quello era l'uomo della sua vita. Non l'aveva mai detto a nessuno, un po' perché non voleva passare per matta e un po' perché non era nel suo carattere fare confidenze del genere. Però col passare degli anni s'era convinta che fosse davvero successo. Prova ne era il fatto che tutto ciò che piaceva a suo marito, dalle barbabietole alle bocce, piaceva anche a lei.

Se lui stava poco bene, stava poco bene anche lei, pur senza darlo a vedere.

Dopo la scenata del Tontoli, il Mario Stimolo era stato male.

Mica robe clamorose, di giorno. Solo un occhio fino, e innamorato, come quello della Moribonda aveva potuto coglierle. Per esempio certi piccoli scatti di nervi, quando stava al Circolo e sentiva il tonfo di una boccia sulla sabbia dei campetti oppure lo schiocco quando ne colpiva un'altra: in quei momenti sembrava che una scossa elettrica lo percorresse dalla punta dei piedi alla cima dei capelli, e se per caso stava versando il vino o la grappa era matematico che metà andava a finire sul piano del bancone.

Di notte, invece...

Quando era successo una prima volta i due si erano guardati negli occhi senza parlare, poi la Moribonda aveva chiuso la questione.

«Può capitare.»

Una volta, d'accordo.

Ma dopo due, tre, quattro volte...

Quando, a distanza di un paio di settimane, il Mario Stimolo s'era svegliato trovandosi ancora una volta a mollo in una chiazza d'urina perché se l'era fatta addosso, la Moribonda non aveva più detto che poteva capitare ma aveva chiamato il dottore.

Cioè, ci era andata lei, di nascosto dal Mario il quale se avesse saputo l'avrebbe legata a uno dei platani che davano ombra ai due campi di bocce tenendola lì fino a sera onde evitare che diffondesse la sua vergogna.

Il dottore aveva consigliato goccine, sedativi, astringenti, mirtilli, acqua di genziana, erba liva.

DEPURUR, anche e infine, ideale per le vie urinarie, una compressa alla sera, per quindici sere consecutive. La si poteva comodamente ridurre in polvere nel mortaio e diluire in qualunque liquido, meglio non il vino, così che il paziente non se ne accorgesse.

Al limite, un breve periodo di ricovero in ospedale per gli accertamenti del caso.

Non era servito a niente e il famoso DEPURUR aveva complicato le cose perché al Mario Stimolo aveva fatto venire la caghetta.

A quel punto la Moribonda aveva iniziato a preoccuparsi e che lo fosse sul serio non sarebbe sfuggito a qualcuno dall'occhio fino poiché anche in pubblico aveva cominciato a lasciarsi sfuggire qualche ruga o qualche occhiata di traverso per guardare il marito quando veniva percorso da quella specie di scosse.

Extrema ratio l'ospedale, aveva detto il dottore.

Bisognava preparare per bene la strada, pensava la Moribonda.

Il Mario però l'aveva anticipata.

Una bella sera le aveva detto che del Circolo non gliene fregava più niente. Era stufo di quel lavoro, della gente, del fumo dei toscani, di quelli che litigavano giocando a carte, di quelli che si ubriacavano, di quelli che non pagavano e lo costringevano a diventare cattivo, di quelli che stavano lì tutta una giornata senza bere nemmeno un calice di vino o di spuma eccetera.

«Di tutto insomma», aveva concluso il Mario.

Avevano appena finito di cenare quando l'uomo s'era sfogato guardando il piatto dove aveva avanzato più di metà minestra.

La Moribonda l'aveva ascoltato senza muovere un muscolo e senza fare commenti.

Dentro di sé però aveva ragionato.

Basta mirtilli, genziana, goccine e DEPURUR.

Nell'elenco che il Mario aveva appena esposto non c'era traccia delle bocce. Le era stato chiaro che voleva liberarsi del Circolo per liberarsi da quelle. Lontano dagli occhi lontano dal cuore, in pratica.

Ma, lei?

Lei amava suo marito, suo marito amava le bocce.

Non doveva fare altro che chiudere il triangolo.

Sapeva cosa doveva fare e l'aveva fatto.

34.

Il Ferrascini s'era fatto uccel di bosco.

Di lui, al Circolo dei Lavoratori, non s'era più vista nemmeno l'ombra.

Come morto, anche nel cuore del Mario Stimolo.

Nel frattempo il campionato provinciale era finito con la vittoria di una coppia di San Fermo della Battaglia, la stessa che il Tontoli e l'Abramo avrebbero dovuto incontrare ai quarti e che, a quanto aveva sempre affermato lo Stimolo, i due avrebbero potuto battere con un dito nel culo.

Non solo.

Sempre nel corso di quel periodo, il vecchio Spotti aveva avuto l'ennesimo attacco cardiaco cui il dottore aveva fatto seguire l'ormai frusta prognosi: «Al prossimo ci resta secco».

Il Bigonio, più che dell'attacco definitivo, era sempre più preoccupato di doversene andare senza aver sistemato per bene le cose, figlie e affari. Aveva voluto una nuova riunione di famiglia, alla quale aveva preteso che partecipassero anche i due fidanzati.

Il Ferrascini e l'Eraldo si erano trovati al cospetto l'uno dell'altro per la prima volta. In precedenza s'erano incrociati qualche volta, scambiandosi appena un saluto.

Un fighèta!, aveva deciso tra sé l'Abramo guardando il moroso della Fioralba.

Per l'occasione l'Eraldo aveva indossato il vestito buono, benché fosse un martedì, e forse era anche andato dal barbiere perché era leccato come una porcellana. Mentre lo guardava seduto al tavolo e composto, l'Abramo non aveva potuto fare a meno di pensare che in un'eventuale sfida a braccio di ferro l'avrebbe potuto battere in meno di tre secondi e magari slogargli anche il polso. Pure la Rosalba non era riuscita a staccargli gli occhi di dosso. Pure lei l'aveva visto poco, solo un po' di più dell'Abramo, ma dopo la sera di quel misterioso mezzo bacio non aveva avuto che pochissime occasioni. E quella sera non era stata sufficiente per apprezzarne in pieno la grazia dei movimenti, l'eleganza con la quale parlava stando alla larga dal dialetto, il poetico pallore.

Quando l'Abramo aveva preso la parola per informare il padrone di casa di avere già avvisato la direzione del cotonificio circa la sua intenzione di licenziarsi per passare ad altra attività, la Rosalba l'aveva guardato senza ben capire quello che aveva detto, distratta dalla visione di un intrico di venuzze che ne coloravano il naso, mai notate prima, e dal vagito di un dubbio circa la scelta che aveva fatto.

Mentre accadeva tutto ciò, il Mario Stimolo meditava convinto di disfarsi del Circolo dei Lavoratori e la Moribonda aveva allora preso la sua iniziativa.

Che era consistita nell'appostare l'Abramo all'uscita del cotonificio e dirgli tanto con chiarezza quanto con fermezza che doveva tornare a farsi vedere al Circolo e chiedere scusa a suo marito per il putiferio che aveva messo in piedi con la sua smania di correre dietro alla Rosalba.

Non solo.

Dopo le scuse, che il marito gli avrebbe accordato, avrebbe dovuto pregarlo di riprenderlo sotto la sua ala come giocatore di bocce, piangere, se necessario, per convincerlo a concedergli di tornare ad allenarsi con lui e rientrare nel settore agonistico.

«Questo è quello che devi fare», gli aveva detto la Moribonda.

Aggiungendo subito che non era lì per chiedergli di pensarci ma per dirgli di farlo.

«Se per colpa tua mio marito lascia il Circolo, te la faccio pagare», aveva chiarito.

La fissità del viso della Moribonda era tale che nessuno al mondo poteva immaginare cosa le frullasse dietro quella fronte alta e sempre spianata. Appunto per quello però era lecito supporre che fosse disposta a tutto.

Cioè, proprio tutto.

Il Ferrascini non aveva osato obiettare.

«Ma se lui non vuole più?» s'era permesso di chiedere.

«Fallo», aveva ordinato la Moribonda, dopodiché s'era girata e aveva ripreso la strada del Circolo seguita dagli sguardi curiosi degli operai che uscivano o entravano al cotonificio, meravigliati di vederla fuori dal territorio sul quale regnava con sovrana impassibilità.

35.

Ci aveva pensato su un paio di sere.

Obbedire alla Moribonda era scontato, ma l'Abramo aveva un ma: come presentarsi?

Aveva deciso di assumere l'umiltà del verme e s'era lasciato crescere un poco di barba, cosa che, a suo giudizio, gli avrebbe dato un'espressione giustamente afflitta, di sofferenza.

Nemmeno la Moribonda però si sarebbe aspettata una tal reazione da parte di suo marito.

Mario Stimolo, alla vista del Ferrascini che rientrava al Circolo dopo quella che gli era sembrata un'eternità, aveva avvertito una scossa, diversa da quelle ormai ben note, che l'aveva fatto impallidire, dopodiché non era riuscito ad arginare l'emozione. Per sua fortuna, poiché altrimenti la fama circa il rigore del suo carattere ne avrebbe assai patito, la sola Moribonda si era accorta delle quattro lacrime che erano scivolate lungo le sue guance e che l'uomo aveva asciugato con un lento gesto dell'unica mano che aveva. Il Ferrascini si era avvicinato al banco e con un lieve scuotere del capo, senza parole, gli aveva chiesto scusa.

Non lo faccio più, chiedo scusa, voglio tornare...

Pure Mario Stimolo gli aveva risposto senza parlare, un cenno del capo, un sì.

Ti aspettavo, ricominciamo...

La scena aveva avuto un che di pietoso, pure la Moribonda aveva disapprovato tutte quelle smancerie.

Contava il risultato però, e infine.
E un paio di sere più tardi i due erano tornati a essere quelli di sempre, l'inflessibile allenatore uno, l'altro il campione in pectore in cerca della consacrazione ufficiale e anche di un nuovo accostatore che facesse coppia con lui.

36.

Erano le prime ore del pomeriggio, l'Abramo era solo in cucina ad aspettare che il tempo passasse.

Camminava su e giù, ogni tanto si fermava alla finestra a guardare fuori.

Ma guardava cosa, aspettava chi?

La Rosalba, stremata dalla notte insonne, dal dolore e dall'uscita forzata per fare le foto, era tornata a letto dove s'era lasciata andare a un sonno agitato.

A un certo punto, proprio subito dopo aver scostato per l'ennesima volta la tendina per guardare il solito nulla perché non c'era nulla da vedere e nemmeno aspettava qualcuno, il Ferrascini sentì suonare il campanello.

Ma allora aspettava qualcuno?

Se lo chiese davvero, dopodiché si diede del deficiente.

Era chiaro, tutto quello che era successo nel giro di poche ore stava scombussolando anche lui.

Guardò dalla finestra, e vide.

La Moribonda!

Che cazzo vuole?

Pensò solo, perché a quattr'occhi con lei mai avrebbe osato uscirsene con una domanda del genere.

Scese e aprì.

La donna, pur senza dirlo, senza nemmeno fare cenni, gli fece capire che non aveva alcuna intenzione di salire in casa.

Avrebbe parlato lì.

Il Ferrascini sgranò gli occhi, come se stesse vivendo

un sogno. Aveva davanti a sé la donna a figura intera, eppure gli sembrava di vederla come di solito la vedeva, mezza figura, una metà fuori e l'altra nascosta dal bancone del Circolo.

La Moribonda stava dicendo che, se avesse potuto, avrebbe offerto lei il suo braccio alla pressa che aveva maciullato quello del marito. In alternativa, sempre se fosse stato possibile, si sarebbe staccato adesso quello stesso braccio per attaccarlo al moncherino dell'uomo.

Questo per chiarire quanto l'amasse, quanto ci tenesse, quanto odiasse chiunque gli faceva del male.

«Mi segui?» chiese.

Il Ferrascini fece sì, capiva.

Anche lei, disse allora la Moribonda.

«Io capisco», ribadì.

Capiva la necessità di far visita a un morente, capiva il dolore della Rosalba e capiva anche quello della Fioralba.

Lui però doveva capire ciò che suo marito aveva fatto nel corso degli anni e che non meritava di essere tradito una seconda volta.

«Mi spiego?» chiese la Moribonda.

«Sì», rispose il Ferrascini che fece la mossa di andarsene.

Ma la Moribonda non aveva ancora finito.

Perché, aggiunse, lei non era disposta a passare quello che aveva passato con la storia del Tontoli e nemmeno a fare altrettanto per mettere pace tra lui e il Mario.

«D'accordo», disse l'Abramo.

«E ti dico queste cose non solo per il bene di mio marito», concluse la Moribonda con un'occhiata che valeva tutto un altro discorso.

37.

Il prevosto aveva appuntamenti dopo cena, una riunione informale con il consiglio pastorale, cose da discutere in previsione dell'Avvento, quindi ci pensò la perpetua a consegnare la carta d'identità nuova di zecca in casa Ferrascini. Erano quasi le dieci di sera, l'eco della dirlindana si stava esaurendo nell'aria.

Prima di mollarla all'Abramo, la donna inventò lì per lì che il signor prevosto mandava a dire che era felice di aver potuto aiutare un suo parrocchiano anche se lo vedeva assai raramente in chiesa.

Ciàpa!

Il Ferrascini abbozzò.

«Con tutti 'sti guai...»

La perpetua rispose con un mezzo sorriso.

«E la Rosalba come sta?» chiese.

Il prevosto le aveva raccomandato di non perdersi in chiacchiere, consegnare, salutare e via. Ma per intanto era impegnato con quelli del consiglio e lei sapeva come andavano quelle riunioni: anche solo per decidere se era ora di spolverare le stazioni della Via Crucis impiegavano lo stesso tempo che ai cardinali di Roma serviva per eleggere il papa.

La Rosalba era di là, sdraiata sul letto, non aveva neanche cenato.

«Un strascèt!»

Che se non fosse stato per il problema della carta d'identità, a quest'ora sarebbero stati già su, a Lucerna, a far compagnia alla fresca vedova.

«Ma allora è morto davvero!» sbottò la perpetua.
«No... non lo so...» si difese il Ferrascini.
Aveva detto così, per dire...
D'altra parte, se quello che i dottori svizzeri avevano detto... quarantotto ore massimo, no?..., ventiquattro erano già passate...
«Quindi...» fece il Ferrascini agitando nell'aria indice e pollice.
La perpetua aveva fatto la faccia dei momenti tragici.
«La vita l'è una tombola», aveva sentenziato.

38.

«Tombola», aveva detto il dottore con la solita malagrazia dopo l'ennesimo attacco cardiaco del vecchio Spotti, quello che l'aveva steso del tutto.

«L'avevo detto io.»

Infatti, avevano commentato le due sorelle.

A furia di dire e ridire che, un attacco dopo l'altro, il vecchio ci avrebbe rimesso la ghirba, alla fine c'aveva preso.

La Rosalba e la Fioralba, pur se preparate, s'erano intristite, immagonite.

Lacrime, abbracci, condoglianze.

Avevano vegliato la salma del genitore.

Avevano voluto un funerale di tutto rispetto, con tanto di banda al seguito e marcia funebre di Chopin.

Un paio di giorni dopo, s'erano guardate.

E adesso?

Perché la morte del vecchio aveva mandato all'aria piani che invece erano perfetti e che solo il destino, con l'attacco fatale, aveva scombinato.

Di lì a un mese la Rosalba e l'Abramo avrebbero dovuto sposarsi, dopo tre mesi la Fioralba con l'Eraldo, ferramenta in mano ai primi due mentre principe azzurro e colombella se ne sarebbero andati insieme incontro ai loro destini oggionesi.

Le due avevano parlato, parlato e parlato anche se entrambe sapevano bene che c'era ben poco da dire: un matrimonio a distanza di un mese da un funerale non era cosa. Così facendo si sarebbero tirate addosso le critiche dell'intero paese e la Rosalba, pur non osando confessarlo, temeva che il genitore dall'aldilà potesse farle pagare tanta mancanza di rispetto. Pure il rettore del santuario di Lezzeno, consultato dalle due, s'era detto d'accordo circa il rinvio e aveva benedetto il loro buon senso: in fin dei conti, un mese o due di ritardo non mettevano a rischio i progetti di nessuno, quali che fossero.

Ma tra le due, la più convinta circa la necessità del rinvio era la Rosalba.

In tre mesi, infatti, poteva accadere di tutto.

Anche, magari, perché no?, che il bell'Eraldo si accorgesse delle sue buone qualità decidendo di preferirla a sua sorella o invece di cucinarle lo stesso amaro piatto che lei aveva confezionato al Tontoli.

Per mettersi in mostra e fare breccia nel cuore dell'Eraldo, e della sua timidezza che spesso si esprimeva con rossori improvvisi, la Rosalba aveva avviato manovre di accerchiamento ogniqualvolta il giovanotto saliva a Bellano per rendere visita alla fidanzata. Scattava a ogni suo desiderio, che fosse un bicchiere d'acqua o una finestra da chiudere per via di uno spiffero, chiedendogli poi se andava bene così e ottenendo in risposta sempre rossori che le avevano acceso la fantasia, mentre la Fioralba, principessa sul pisello, non muoveva un dito.

Una bella sera l'Eraldo, uscito con la Fioralba a fare due passi, aveva confessato alla fidanzata che loro due sembravano addirittura figlie di genitori diversi, tant'era la differenza di carattere che le distingueva.

«Tu così signora», aveva detto, «e lei... lei così... senza offesa... così serva.»

Ci aveva messo un po' di malignità la Fioralba quando, la sera stessa, aveva riferito alla sorella quelle stesse parole?

Se anche fosse stato così, la Rosalba non l'aveva avvertito.

Gelosia, piuttosto.

Paura che l'Eraldo, conquistato lentamente dai suoi modi gentili e raffinati, altro che serva!, decidesse di cambiare idea.

Ma tre mesi erano pochi, tre mesi volavano.

E infatti erano volati.

Tre mesi dopo, come stabilito, le due sorelle salivano insieme, seguite dai rispettivi fidanzati in via di diventar mariti, all'altare del santuario della Madonna di Lezzeno. Al termine della cerimonia entrambe si scioglievano in lacrime: di gioia quelle della Fioralba perché finalmente iniziava una vita che aveva sempre immaginato piena di sogni destinati a diventare realtà, di sconforto quelle della Rosalba perché durante la notte aveva sognato il Tontoli che le diceva «Chi la fa l'aspetti» e ormai non poteva più farci niente.

39.

Di accostatori come dio comanda il Mario Stimolo ne conosceva un altro. Si chiamava Artemio Rodigatti, era di Calolziocorte, aveva una moglie brutta come il peccato e sei figli. Faceva il muratore e aveva un occhio così preciso che non aveva bisogno del filo a piombo per tirar su dritto un muro. Non apparteneva a nessuna bocciofila perché voleva soldi. Chi lo pagava di più se lo prendeva, se no a fâs ciàa.

Di soldi in tasca il Mario Stimolo non ne teneva mai per abitudine. Se aveva bisogno di qualcosa, chiedeva alla Moribonda. Era lei che gestiva la cassa, ordinava vino, bibite, tutto ciò che serviva per mandare avanti il Circolo e la spesa di casa, ed era lei che saldava i conti.

Per riuscire a pagare il Rodigatti e convincerlo ad associarsi al Ferrascini, il Mario Stimolo aveva dovuto farsi furbo.

Un po' ladro, in un certo senso, anche se definire ladro chi ruba in casa propria suona strano.

Se la Moribonda si fosse accorta che suo marito prelevava denari dal cassetto del Circolo senza dirle niente, ne sarebbe uscito un pasticcio perché su una cosa la donna non transigeva: la fiducia reciproca. Magari sarebbe andata a immaginare chissà cosa, trame di donne forse o altro, in ogni caso il loro rapporto, lineare e tranquillo da sempre, si sarebbe incrinato un po', e il Mario Stimolo aveva voluto evitare un simile evento. Così come aveva voluto evitare che la Moribonda, alla sua proposta di finanziare il socio del Ferrascini, potesse rispondergli picche: un rischio da evitare, perché quando sua moglie diceva no era no per sempre.

Allora, anziché andare a frugare nel cassetto, aveva cominciato a intascare di nascosto i soldi dei clienti che pagavano al banco, quando la Moribonda non c'era, oppure ai tavoli, quando li serviva lui. Con quel sistema il Mario Stimolo era riuscito a mettere da parte, a botte di cento, duecento e a volte anche cinquecento lire, un capitale privato che gli aveva permesso di presentarsi a casa del Rodigatti e, verificata la notevole bruttezza della moglie – col che si era sentito garantito dal rischio di colpi di testa del Ferrascini –, fare all'accostatore un'offerta.

Il Rodigatti aveva accettato a patto che non gli rompesse i coglioni con gli allenamenti e che gli garantisse il soldo a ogni uscita agonistica.

«Che si vinca o si perda, la paga è sempre quella.»

Lo Stimolo s'era meravigliato che il bergamasco non gli chiedesse notizie del bocciatore che lo avrebbe affiancato, che non gli chiedesse di farglielo conoscere e vederlo all'opera prima di accettare.

«A me interessano i soldi», aveva risposto quello.

Con le coppe e le medaglie non si mangiava.

Capito?

«Chiaro», aveva risposto lo Stimolo.

Anche perché mancava davvero poco all'inizio delle eliminatorie del campionato provinciale e non c'era tempo da perdere.

40.

La Rosalba avrebbe voluto partire subito, senza perdere altro tempo.
Uscita la perpetua, il Ferrascini s'era seduto al tavolo, la carta d'identità in mano, gli occhi fissi sulla foto della moglie che sembrava per davvero una scappata dal manicomio.
Gli comparve sulla soglia della cucina, silenziosa come un gatto, pallida, sbattuta ma vestita di tutto punto, cappotto, foulard, valigia in mano.
«Cosa fai lì?» le chiese stupito il marito.
«Non andiamo?» fece lei.
Dopo un breve sonno agitato s'era svegliata e aveva sentito tutto, la perpetua che aveva portato il documento, il messaggio del prevosto perché frequentasse più spesso la chiesa...
Lui, non lei!
Se non era uscita dalla camera era perché non aveva voglia di vedere nessuno, di parlare con nessuno.
Voleva solo partire per arrivare in tempo.
In tempo per cosa?
Sapeva lei.
In tempo per vederlo ancora vivo, dargli un ultimo bacio.
Il Ferrascini la guardò lungamente prima di rispondere: così combinata, la Rosalba sembrava un'emigrante o qualcosa di peggio, roba da vergognarsi a portarla in giro.
«Adesso?» disse alla fine.

Col buio, di notte, senza nemmeno una cartina della Svizzera?

E se poi succedeva qualcosa alla macchina sul San Bernardino, quel passo che era pieno di curve e tornanti?

O se trovavano una frana?

Il Ferrascini il San Bernardino non l'aveva mai visto, nemmeno in fotografia. Ma se lo chiamavano passo doveva avere un sacco di curve e tornanti, magari anche a strapiombo.

Accompagnò le parole muovendo sinuosamente la mano destra, disegnando nell'aria della cucina e sotto gli occhi della moglie un'immaginaria salita del passo, curva dopo curva, tornante dopo tornante fino a quando, dopo un primo accesso di nausea, alla Rosalba venne da vomitare.

41.

Il Rodigatti aveva dimostrato di essere davvero un bell'acquisto.

Valeva i soldi che gli costava, pensava lo Stimolo.

E l'avrebbe anche detto alla Moribonda se poi lei non gli avesse chiesto chi li sborsava quei soldi.

Comunque era un vero professionista, puntuale, silenzioso, accostatore di rara precisione, avrebbe dovuto pensare a lui sin dall'inizio, altro che il Tontoli!

Aveva uno stile tutto suo che il Mario Stimolo non aveva mai visto in nessun giocatore di bocce: una volta calcolata bene la distanza e la velocità che doveva imprimere alla boccia, infatti, il bergamasco assumeva la posizione di lancio, chiudeva gli occhi, mormorava qualcosa muovendo giusto le labbra e poi lasciava uscire dalle mani la boccia che andava a finire nel punto giusto.

Lo Stimolo gli aveva chiesto cosa diavolo mormorasse prima del lancio, il Rodigatti gli aveva risposto che erano affari suoi.

Cazzi suoi, per la precisione.

Un bell'originale!

L'aveva capito in fretta pure il Ferrascini che aveva tentato di entrare un po' in confidenza durante le eliminatorie.

Quando aveva iniziato a giocare a bocce?; chi gli aveva insegnato?; quali erano secondo lui i migliori sulla piazza?...

Aveva tentato anche con altri argomenti: chi preferiva

come ciclista, se gli piaceva fare il muratore, se lavorava a cottimo o sotto padrone...

«Te pensa a bocciare», era sempre stata la risposta.

Per il resto tutto andava benone, le coppie avversarie cadevano come birilli inciampando nei tiri millimetrici del Rodigatti e schiantandosi sotto le micidiali parabole del Ferrascini.

All'invincibile coppia Rodigatti-Ferrascini avevano via via dovuto arrendersi quelle delle bocciofile di Castello di Lecco, Valmadrera, Dolzago, Mandello del Lario e Pescate.

Giunti alla soglia degli ottavi di finale, il paese si era svegliato perché le notizie relative al campionato avevano cominciato ad apparire sulle pagine sportive del quotidiano locale e il nome di Bellano, associato ai due fenomeni Rodigatti e Ferrascini, a intingersi nell'inchiostro dei titoli.

Più di uno che non aveva mai avuto bisogno di un chiodo, una vite o un metro di fil di ferro aveva cominciato a entrare in ferramenta anche solo per vedere da vicino il Ferrascini oppure scambiare quattro chiacchiere con lui, informarsi sul prossimo incontro.

Il Ferrascini era ben lieto di concedersi alle curiosità dei suoi tifosi e concludeva sempre le visite con un «purtroppo».

Non disponendo di un campo regolamentare la bocciofila bellanese era costretta a giocare sempre in trasferta.

L'ottavo di finale s'era disputato sul campo del Cral di Brivio, sede dell'omonima bocciofila, e aveva visto la clamorosa vittoria dei bellanesi contro la coppia Minciarelli-Rimetti che l'anno precedente aveva perduto per un soffio la finale del campionato provinciale. Il passaggio ai quarti aveva definitivamente sancito l'ingresso del Rodigatti e del Ferrascini nell'olimpo dei bocciatori ma soprattutto aveva riacceso nei bellanesi un entusiasmo verso il gioco delle bocce che da tempo languiva nell'indifferenza: ragione per la quale a molti era venuto in mente che era ora di fare qualcosa per sostenere i due nel corso delle dure tappe che li attendevano prima di tagliare il traguardo della vittoria finale.

42.

Sette ore per arrivare a Lucerna non furono sufficienti, ce ne vollero quasi nove.

Il primo ritardo si realizzò in frontiera quando il doganiere svizzero, forse vista l'ora mattutina e la scarsità del traffico – il Ferrascini e la Rosalba essendo infatti partiti da Bellano alle cinque esatte – chiese quasi per caso quale motivo li portasse in Svizzera.

«Un funerale», rispose d'acchito l'Abramo.

Al che la Rosalba, che ormai non aveva altro pensiero se non ritrovare ancora vivo l'Eraldo per un ultimo bacio, sbottò con un incontrollato:

«No!» che mise in allarme il rossocrociato.

«Sì o no?» chiese.

E alle orecchie del Ferrascini fu subito chiaro che il tono era cambiato: da semplicemente curioso a francamente inquisitorio.

La necessità di spiegare, oltre a quella di non intasare il passaggio, obbligò l'Abramo a parcheggiare la macchina, scendere con la Rosalba, e chiarire le ragioni del viaggio dentro un ufficio che, forse per la ragione di trovarsi già in territorio svizzero, profumava di cioccolato.

Altro ritardo si accumulò strada facendo e soprattutto sul passo del San Bernardino, tragitto che la Rosalba battezzò con tre fermate obbligatorie per vomitare altrettante volte. Pur essendo a stomaco vuoto, infatti, la donna mal sopportò le continue accelerazioni, decelerazioni e frenate del marito e soprattutto le mezze sterzate, secche, angolari con le quali affrontò le curve della salita. E poi, dopo, anche quelle della discesa.

A gravare sul tempo di percorrenza fu però soprattutto la foratura di una gomma, l'anteriore di destra, poco prima di Coira.

Tra i tanti guai che il Ferrascini aveva immaginato gli potessero capitare in viaggio, bucare una gomma era quello che aveva temuto di più, tenendo segreta la paura.

Anche il meccanico glielo aveva detto, quasi lo prevedesse.

«Sta' attento alle buche.»

Proprio per evitarne una il Ferrascini ne aveva beccata un'altra. Il muso del 1100 s'era afflosciato sulla destra.

La Rosalba aveva avuto un sussulto e gli aveva chiesto cosa fosse successo.

Lui le aveva risposto con una bestemmia. La prima di una serie che era durata quasi mezz'ora dopo aver montato la ruota di scorta, lavoro del cazzo che non aveva mai fatto e che comunque aveva voluto portare a termine da solo nonostante un paio di automobilisti si fossero fermati per chiedere se avesse bisogno di aiuto. In risposta, ognuno dei samaritani aveva ricevuto sonori inviti a farsi i cazzi propri e altro, inviti che però non avevano inteso essendo loro di lingua tedesca mentre l'Abramo li aveva mandati a dar via il culo rigorosamente in dialetto.

Una volta giunti a Lucerna, sotto un cielo grigio dal quale sembrava cadessero microscopici fiocchi di neve, il Ferrascini spiegò alla Rosalba il piano che aveva architettato per arrivare senza ulteriori inciampi a casa della Fioralba.

L'indirizzo l'avevano, scritto a mano dalla stessa Fioralba, su una cartolina con vista del lago dei Quattro Cantoni, che la sorella aveva spedito qualche tempo prima indicando anche con una freccia la cima del monte Pilato.

Impronunciabile.

Lucerna, e va be', fin lì il Ferracini ci poteva arrivare.
Ma la via, Zähringerstrasse 17...

Parcheggiò nel piazzale della stazione, trovato subito grazie a un colpo di fortuna. Era un punto di riferimento unico, sicuro.

«Tu resta qui in macchina», disse alla Rosalba.

Lui, cartolina con indirizzo in mano, avrebbe cercato la casa della Fioralba, fatto il tragitto a piedi in modo da imprimerselo bene nella mente e poi sarebbe ritornato a prendere lei e la macchina.

La Rosalba non osò dire niente pur se tremava all'idea di dover passare del tempo sola, chiusa dentro il 1100, in terra straniera.

«Se qualcuno mi chiede qualcosa?» chiese.

A Lucerna parlavano tedesco, cosa poteva rispondere?

«Fingi di essere sorda e muta», consigliò il Ferrascini battendosi una mano sulle labbra e sulle orecchie.

Poi scese e inspirò perché anche lui si stava approntando a un'impresa che gli dava un poco di ansia. L'aria aveva un odore strano, quasi speziato, mai sentito prima. D'altronde era ben lontano da casa e proprio l'odore di quell'aria glielo stava ricordando.

Si guardò intorno cercando di individuare il punto da cui cominciare le sua ricerca.

Poi scoreggiò.

La Rosalba non sentì.

Ma lo vide quando, con una mano infilata dentro i pantaloni, si diede una sistematina al pacco prima di partire a caso.

43.

Il quarto di finale si era giocato sul campo del Circolo Ricreativo Il Medeghino di Carlazzo contro la coppia della bocciofila Valsolda formata dall'accostatore Gelindi di Gnallo e dal bocciatore Eremo di San Nazzaro Val Cavargna.

Parecchi bellanesi avevano seguito i due giocatori organizzandosi chi in macchina, chi traversando il lago col battello per raggiungere Menaggio e da lì proseguire in corriera, alcuni, nonostante la giornata promettesse pioggia, in moto.

Una volta giunti presso Il Medeghino però s'erano resi conto di essere in netta minoranza, i posti migliori per assistere alla gara già occupati da un nugolo di cavargnoni che avevano seguito l'Eremo, saturando l'aria dell'ambiente con il fumo delle loro sigarette di contrabbando e con il profumo di resina e di terra di bosco che traspirava dalla loro pelle. Ai tifosi ospiti era parso subito chiaro che sarebbe stato meglio per tutti se si fossero tenuti schisci, evitando ganasserie varie e, in caso di vittoria, esagerate manifestazioni di giubilo e men che meno di scherno, poiché i cavargnoni erano noti per mal sopportare i dileggi, risolvendo piuttosto le diatribe a suon di sberle o di legnate.

Tutti quindi avevano capito l'aria che tirava, tranne il Ferrascini che, intuendo subito la sua superiorità sul bocciatore avversario, aveva cominciato a comportarsi come un galletto nel pollaio e a un certo punto, la vittoria già in tasca, aveva addirittura sbagliato apposta qualche colpo, sottolineandolo con un sorrisetto d'intesa rivolto ai bellanesi, tanto per umiliare ancora di più il cavargnone. I cavernosi mormorii che si erano levati dalla tifoseria locale non avevano suggerito al Ferrascini di moderarsi. C'era voluto l'intervento del Rodigatti che a un certo punto gli aveva chiesto di potergli dire due parole in privato.

«O la smetti di fare il cretino oppure io ti pianto qui e in semifinale ci vanno loro», gli aveva detto guardandolo dritto negli occhi.

Il Ferrascini aveva ubbidito, ma non era bastato a sedare gli animi dei presenti. Alla fine dell'incontro, conclusosi con una schiacciante vittoria dei bellanesi, c'era voluto l'intervento del parroco locale, don Clemente Tasso, che s'era fatto garante dell'incolumità degli ospiti accompagnando giocatori e spettatori fuori dai confini del paese come se fosse una processione.

Sino ad allora il Mario Stimolo non aveva ancora assistito a un incontro della nuova coppia che aveva assortito.

Aveva fatto una sorta di voto, laico e segreto, di cui nemmeno la Moribonda sapeva qualcosa: si sarebbe esposto in prima persona solo quando la bocciofila bellanese avesse conquistato di nuovo una semifinale, riprendendo il filo del discorso malamente interrotto dall'affaire Tontoli.

Aveva aspettato le notizie dietro il banco del Circolo cercando di imitare l'impassibilità della Moribonda, che godeva come il marito per le vittorie del Rodigatti e del Ferrascini ma come una sfinge non lo dava a vedere.

Adesso però, aveva pensato quando era stato informato dell'ennesima vittoria dei due, era ora di rompere gli indugi.

La cosa si faceva grossa, l'entusiasmo ormai contagiava buona parte della componente maschile del paese, tant'è che all'Amedeo Rollini, dipendente delle Autolinee Bellanesi, era venuta una grande idea.

44.

La Rosalba dovette aspettare un'ora.

Un'ora che sembrarono tre.

A un certo punto ebbe la sensazione che la gente che andava e veniva dalla stazione, un sacco di gente!, non avesse occhi che per lei, seduta sola dentro un 1100 targato Como, e mormorasse chiedendosi cosa ci facesse lì.

Tant'è che quando l'Abramo fece ritorno, la Rosalba saltò per aria dalla sorpresa e temendo che fosse uno dei tanti poliziotti svizzeri che aveva notato riflettè che l'unica maniera che aveva per difendersi sarebbe stata quella di mettersi a piangere disperata.

Invece era l'Abramo.

Che infatti bestemmiò.

La strada, la cazzenstrasse o come diavolo si chiamava, era un bel casino!

«Ma ci possiamo arrivare?» chiese la Rosalba.

L'Abramo non rispose.

Come punto di riferimento aveva la cima di un campanile con in vetta una specie di croce come non ne aveva mai viste in vita sua.

Avviò il motore, ingranò la prima e partì.

Di strasse in strasse ci volle una bella mezz'ora prima di arrivare davanti al fatidico diciassette. L'Abramo guidava piano, avvinghiato al volante, il viso a pochi centimetri dal parabrezza.

Ci mancava solo di fare un incidente in Svizzera o prendersi una multa!

La Rosalba, invece, nonostante tutto, si stava rilassando. Per la prima volta da quando erano partiti da casa, nonostante lo stomaco sottosopra e una sensazione di sopore che le appesantiva gli occhi, riuscì a vedere ciò che la circondava riportandone una meravigliosa sensazione di estraneità. E di libertà anche, tanto che mentre le sfilavano sotto gli occhi negozi lussuosi e case dalle facciate severe, riuscì a immaginare come sarebbe stata la sua vita se al posto della Fioralba ci fosse stata lei a passeggiare per quelle vie sottobraccio all'Eraldo, e a quel pensiero, sempre ricacciato quando immaginava il cognato e sua sorella in giro per le vie di quel paese del Bengodi che era la Svizzera, non opponeva adesso alcuna obiezione.

A riportarla alla realtà pensò un grugnito dell'Abramo.

Soddisfazione pura quella dell'uomo, poiché alla fine era arrivato davanti alla casa della Fioralba.

«È qui?» chiese la Rosalba.

Il Ferrascini rispose con appena un cenno del capo: cazzenstrasse diciassette, non si poteva sbagliare. Che poi la Fioralba ci fosse o meno non glielo poteva dire.

Scesero, colpiti entrambi da un brivido di freddo.

Suonarono, la porta si aprì con uno scatto, due piani di scale e le due sorelle si trovarono faccia a faccia.

«Allora?» chiese la Rosalba.

La Fioralba si rattrappì come una quaglia prima di involarsi.

«È morto un'ora fa», riuscì a pigolare, poi si lasciò andare al pianto.

«O, Dio...» esalò la Rosalba aprendo le braccia senza potersi impedire di dare l'addio a quell'ultimo bacio che aveva tanto sognato.

Mai più...

Perché, in fin dei conti, baciare un morto... A quel punto le labbra dell'Eraldo, del povero Eraldo anzi, dovevano essere già fredde.

Dietro le due sorelle avvinghiate l'una all'altra, il Ferrascini stava pensando che i dottori non avevano sbagliato, quarantotto ore avevano detto e quarantotto erano state.

Avesse saputo come fare, avrebbe avvisato all'istante il Mario Stimolo, che stesse tranquillo, tutto procedeva come previsto. Il più era fatto.

45.

L'idea del Rollini aveva incontrato la piena approvazione del Mario Stimolo: organizzare un pullman che avrebbe seguito la coppia Rodigatti-Ferrascini sino a Cermenate, sede della società bocciofila La Borromina, sul cui campo si sarebbe giocato.

Una grande idea!

Sul pullman, infatti, aveva ragionato lo Stimolo, i partecipanti alla trasferta avrebbero potuto fare comunella, sentirsi solidali l'uno verso l'altro, veri e propri ambasciatori del paese, giungendo in loco cementati da un entusiasmo che avrebbe gasato ancora di più i due giocatori.

Il contabile e responsabile della gestione mezzi delle Autolinee, ragionier Adalberto Campieri, alla proposta del Rollini aveva fiutato un mezzo affare e accettato di concedere un mezzo per la trasferta, a patto che il Rollini in persona si assumesse la responsabilità di tutto, dalla guida al pagamento del noleggio dello stesso. Per il fatto di essere un dipendente gli aveva abbuonato il versamento di una caparra.

«Facciamo tutto dopo.»

«Nessun problema», aveva risposto il Rollini.

Nessun problema davvero.

Alla notizia che un pullman avrebbe seguito la coppia dei miracoli era partita una corsa alla prenotazione. Nel giro di un paio di giorni il Rollini aveva dovuto rifiutare richieste e anche mance affinché facesse saltar fuori un posto.

«Niente da fare», aveva risposto.
Chi tardi arriva, male alloggia.
Il pullman per legge poteva portare cinquanta passeggeri, non uno di più. Il responsabile era lui, e non voleva guai.
Guai che avevano cominciato a profilarsi all'orizzonte quando, la mattina di quel lunedì, aveva visto il cartello sulla porta d'ingresso della ferramenta con l'annuncio della chiusura.
Fosse successo qualcosa, aveva pensato il Rollini, che aveva mandato tutto a balle all'aria? La gara era forse stata annullata o anche solo rinviata?
Il pullman ormai era prenotato, la maggior parte dei partecipanti doveva ancora versare la quota, aveva promesso di farlo la domenica stessa dell'incontro.
Gli era venuto freddo al pensiero di doverci rimettere di tasca propria, perché il ragioniere lo conosceva bene, non avrebbe accettato scuse, giustificazioni, avendo tra le altre cose rifiutato un'analoga richiesta di noleggio. Per quel motivo il Rollini era volato al Circolo per chiedere delucidazioni all'ignaro Mario Stimolo che, a sua volta, si era messo a indagare.

46.

Le due sorelle s'erano chiuse in camera e piangevano.

La Fioralba in verità, dopo la notte passata al capezzale del marito assistendolo sino a che non aveva esalato l'ultimo respiro il pomeriggio, aveva fatto una scappata a casa intenzionata a darsi una rinfrescata, cambiarsi d'abito e poi tornare in ospedale.

La sorpresa di trovarsi faccia a faccia con sua sorella, qualcuno con cui poter sfogare senza ritegno il magone, l'aveva trattenuta.

Piangevano quindi la Fioralba e la Rosalba, sembrava che si dessero la carica a vicenda.

Il Ferrascini le sentiva anche se era in salotto.

Oddio, mica difficile sentirle. La casa era piccola piccola, i muri di cartone o qualcosa del genere.

Lui s'era immaginato che i cognati abitassero in una specie di villa, da quanto la Rosalba gli aveva raccontato riassumendo le letterine di sua sorella, rare e stringate.

Forse la colpa era di come la Rosalba gli riferiva le cose.

Che sua sorella aveva comperato un nuovo divaaano...

E quant'era lungo 'sto divano?

Oppure che l'Eraldo aveva ridipinto tutta di rosa la cuciiina...

E quant'era grande la cucina?

«Ogni volta mi dice di andarli a trovare», era sempre la conclusione del discorso.

Non potevano sapere quanto fosse bella Lucerna, il monte Pilato, i suoi ponti sull'acqua, quello di legno soprattutto, con la danza della Morte, il lago dei Quattro Cantoni...

Il lago ce l'abbiamo anche qui, e di cantoni ne ha molti di più, aveva sempre pensato di rispondere l'Abramo, dicendo invece:

«Capiterà, una volta o l'altra».

Ecco, era capitato, pensò ancora in piedi in quel salotto microscopico, guardando una foto del morto che, da vivo e abbracciato alla Fioralba, sorrideva.

Il Ferrascini stava cercando di calcolare quante volte l'aveva visto, una decina?

Logico quindi che non riuscisse a soffrire come sua moglie, era come se fosse morto uno sconosciuto.

Sempre solo, sempre in piedi nel salottino, mentre le due sorelle continuavano a caragnare e senza osare di sedersi sul famoso divaaano, il Ferrascini si chiese come si comportassero in Svizzera in situazioni come quella.

Cioè.

Quante ore l'avrebbero tenuto in ospedale?

Sempre che lo volessero tenere, ovvio.

Perché, va' a sapere!, magari lì te lo lasciavano portare via subito.

Fosse così, calcolato che erano le quattro del pomeriggio più o meno, e che entro sera il corpo potesse ritornare a casa sua, c'era tutto il mercoledì per le preghiere e i rosari, giovedì funerale e venerdì, magari non proprio mattina ma pomeriggio... primo pomeriggio, partenza e via, taaac, a casa.

Se invece l'Eraldo doveva stare in ospedale qualche ora, metti un giorno, poteva arrivare a casa la sera di mercoledì.

Poco male.

Giovedì rosari eccetera, venerdì funerale e sabato partenza.

Sabato mattina a quel punto, senza discussioni, e presto anche. Ormai erano via da una settimana, casa e bottega chiuse, dispiaceva, ma anche lui aveva le sue cose da fare.

Chi muore tace, chi vive si dà pace insomma!

Al limite, se proprio proprio, si poteva dire alla Fioralba di andar via con loro. Un po' di tempo lontana le avrebbe fatto bene.

In ogni caso la domenica e la semifinale dei provinciali erano salve.

L'Eraldo, nella foto, continuava a sorridere.

L'Abramo fece una smorfia come per chiedere scusa, manco quello avesse potuto percepire i suoi ragionamenti.

Le due sorelle, chiazzate di rosso in viso che sembravano due mele mature, comparvero sulla porta della camera.

«Noi andiamo a vederlo», dissero in coro.

Andava anche lui?

Il Ferrascini si mise una mano sulla fronte.

Entrare in un ospedale, vedere i morti?

Dichiarò un po' di mal di testa.

La privazione di sonno, il viaggio, la tensione...

«Magari un'altra volta», disse incauto.

«Si muore una volta sola», lo freddò la Rosalba.

47.

Il Mario Stimolo, dopo aver assodato con l'Abramo come stavano le cose, si era chiuso in casa.

Consiglio della Moribonda che l'aveva visto preoccupato, agitato nonostante le rassicurazioni ricevute dal Ferrascini: infatti continuava a grattarsi il moncherino, segno negativo che lei aveva imparato a interpretare da anni.

«Te ti chiudi in casa e lasci fare a me», aveva detto la donna.

Perché era scontato che la notizia della improvvisa chiusura della ferramenta avrebbe fatto il giro, così come era certo che chiunque avesse voluto avere informazioni si sarebbe rivolto allo Stimolo.

Invece si trovarono faccia a faccia con la Moribonda che, oltre a non muovere quasi mai un muscolo del viso mantenendo sempre la stessa vivacità di uno stagno disabitato, era anche usa a non sprecare parole.

«C'è il Mario?»

«Non c'è.»

«Quando lo posso trovare?»

«Non c'è.»

«Ma quando torna?»

Mica l'aveva detto lei che era andato da qualche parte e che prima o poi sarebbe tornato.

Ma non valeva la pena spiegarlo.

«Non c'è.»

Punto e basta.

Come per le bocciate del Ferrascini, il questuante, sconfitto, se ne tornava zitto e mosca sui suoi passi.

L'unico a ricevere un trattamento appena diverso dagli altri fu l'autista Rollini. La Moribonda comprendeva le sue ambasce e quando si presentò al Circolo per chiedere se il Mario avesse capito cosa diavolo stesse succedendo ricevette dapprima la stessa risposta.

«Non c'è.»

Poi, solo abbassando e alzando subito entrambe le palpebre, la Moribonda gli fece capire che non aveva ancora finito di parlare.

«Ma devi stare tranquillo», aggiunse.

Il Rollini rifletté prima di aprire bocca.

«Chi lo dice?» chiese. «Lui o te?»

«Io», sussurrò la Moribonda.

Bon, allora.

48.

Rimasto solo il Ferrascini si diede a un'ispezione della casa.

Tutto piccolo e stretto.

Roba che bisognava stare attenti a muoversi per la paura di urtare una cosa o quell'altra.

Piccola la cuciiina ridipinta di rosa, un bel colore del cazzo. Stretto il corridoio, piccoli la camera da letto, il cesso. Piccolo anche il giardino che stava sul retro dell'appartamento al piano terra, incassato tra quattro mura di cemento che mettevano tristezza. Il Ferrascini l'aveva guardato per un po', l'erba ormai gialla, nell'angolo un albero sifilitico. E poi c'era il silenzio.

Ostia, ma che silenzio!, pensò il Ferrascini.

Fece un verso per romperlo e gli sembrò che anche quello gli uscisse male, come se temesse di offendere il silenzio da morti che c'era in quella casa. In più ormai stava diventando buio. Cercò qua e là un interruttore. Ne trovò uno e quando un po' di luce fu, si trovò sotto gli occhi l'apparecchio telefonico.

Con gesto istintivo afferrò la cornetta. Che bello, telefonare al Circolo dei Lavoratori, al Mario Stimolo per tenerlo buono, il viaggio tutto bene, l'Eraldo anche, era già morto, e lui avrebbe rispettato i tempi come promesso...

Ma era in Svizzera, chissà cosa diavolo bisognava fare per chiamare in Italia. Prefissi, quelle robe lì o magari beccavi una centralinista che ti parlava in crucco.

Rimise a posto la cornetta, tornò in salotto, si sedette sul divaaano.

Aveva un po' di fame.
Dove avrebbero cenato?, si chiese.
Lì, in casa del morto?
E poi, a proposito, come avrebbero fatto per dormire?
Misurò il divano.
Ci fosse stato lì il Rodigatti, gli sarebbe bastato un colpo d'occhio per dirgli quanto era lungo, preciso al centimetro. Comunque non ci voleva certo l'occhio d'aquila del bergamasco per capire che lui non ci stava dentro.
Va be', prima di dormire però bisognava pensare al mangiare.
Si alzò di nuovo, andò in cucina, vide un cestello con un po' di frutta, arance e mele.
Sorrise.
Prese una mela e la divorò.
Non che avesse un sapore proprio di mela. Quasi di incenso, almeno così gli sembrò, come se fosse cresciuta in una sagrestia.
Boh, disse tra sé.
Poi, afferrato il cestello se lo portò in salotto, svuotò il contenuto sul divano, lo appoggiò su un tavolino che stava sotto la finestra che dava sul triste giardino sottostante, dopodiché cominciò a lanciare mele e arance.
Così, tanto per mantenersi in allenamento, e senza sbagliare un colpo.

49.

L'infermiere dell'obitorio aveva sbagliato una prima volta, questione di un sette preso per un uno, e aveva tirato fuori dalla cella frigorifera una donna.

In ogni caso la Rosalba, che era già pronta, se lo sentiva, aveva dato segno di svenimento ed era stata la Fioralba a prenderla al volo evitandole di finire per terra.

La seconda volta invece, quella giusta, al comparire del volto sfatto di suo marito la Fioralba s'era portata le mani al viso, così la Rosalba aveva potuto effettuare uno svenimento come dio comanda, gemendo prima e poi finendo lunga e tirata per terra.

La conclusione era che la Rosalba era stata portata al pronto soccorso dove le avevano controllato pressione e cuore, le avevano fatto un'iniezione di qualcosa e anche un sacco di condoglianze in tedesco fino a che la Fioralba, un po' stizzita, era intervenuta spiegando che era lei la vedova.

Per tornare a casa, anziché i mezzi, le due sorelle presero un tassì perché ormai s'era fatto tardi. Una volta entrate trovarono il Ferrascini addormentato ronfante sul divano con ancora un'arancia in mano e il resto dentro il cestello sotto la finestra.

La Fioralba forse non notò la cosa, alla Rosalba invece non sfuggì e comprese.

Suo marito era davvero una bestia se anche in un momento del genere non aveva avuto altro pensiero che per le bocce. Cercando di non farsi vedere dalla sorella prese il cesto della frutta per riportarlo al posto che gli competeva. Rimuginava cose da dire all'Abramo ma, una dopo l'altra, le esauriva dentro di sé, certa del fatto che l'uomo, a un eventuale rimprovero, avrebbe risposto subito: «Cos'ho fatto di male?».

Adesso però bisognava pensare ad altro, sostituirsi alla sorella per quanto concerneva le incombenze della quotidianità, mai così banali come in quelle circostanze.

Bisognava cenare per esempio, era il caso?

Qualcuno forse aveva fame?

Non era indelicato parlare di mangiare dopo aver visto il povero Eraldo ormai cadavere?

Per intanto svegliò l'Abramo con un colpo sulla spalla.

Il Ferrascini, colto di sorpresa, cercò di nascondere dietro la schiena l'arancia.

«Ha telefonato qualcuno?» chiese con voce da pittima la Fioralba.

Aveva notato la cornetta del telefono appoggiata al contrario rispetto al solito.

Il Ferrascini fu lesto a rispondere.

«Sì, ma non ho capito.»

La Rosalba lo guardò con occhi da vipera.

Cosa gli era venuto in mente di rispondere al telefono in casa d'altri?

O forse...

«Continuava a suonare e poi parlavano tedesco», si precipitò a spiegare il Ferrascini, «kunz... kanz... cosa volevi che capissi?»

50.

Il Mario Stimolo era un leone in gabbia.

Avanti e indietro a misurare la cucina, la camera da letto, il corridoio.

Si calmava solo quando saliva la Moribonda per pranzo, cena e dopo la chiusura del Circolo.

La notizia che il Ferrascini era su in Svizzera aveva ormai fatto il giro delle contrade. Partita dal meccanico, dal fotografo, dal vigile o dalla perpetua non importava. Ognuno contava la sua e una volta era l'Eraldo a essere ammalato, un'altra era la Fioralba, un'altra ancora non era nessuno dei due ma era comunque successo qualcosa di losco e la Rosalba aveva messo in giro quella voce per non contarla chiara. Taluni pensavano che fossero tutte balle: al Ferrascini tremavano le gambe in vista della semifinale e per non correre il rischio di perderla s'era inventato una «causa di sforzamaggiore».

Tutte quelle chiacchiere entravano anche nelle orecchie della Moribonda e si fermavano lì. Neanche una virgola giungeva al Mario Stimolo.

Quando vedeva sua moglie salire dal Circolo l'uomo le faceva una sola domanda.

«Novità?»

«Sta' tranquillo», rispondeva lei.

Lui obbediva.

«Calmati e mangia.»

Martedì sera, verso le sei, il Rodigatti fece il suo ingresso nel salone del Circolo saturo di clienti, fumo e voci che cercavano di superarsi l'un l'altra.

La Moribonda lo vide da lontano e contrasse appena le labbra.

Quello si fece al banco.

«C'è il Mario?» chiese.

La Moribonda tentò la solita tecnica.

«Non c'è.»

Ma lo sapeva che non avrebbe funzionato.

«E io c'ho bisogno lo stesso», rispose il Rodigatti.

«Cosa c'è?» fece la Moribonda.

«Ho sentito cose.»

«Cosa?»

«C'è il Mario?» riprese il Rodigatti.

«Un momento», disse la Moribonda.

Poi gli disse di uscire come se andasse via e di infilarsi invece in una porticina che stava proprio di lato all'ingresso del Circolo.

«È il magazzino.»

Che l'aspettasse lì, l'avrebbe fatto salire in casa da una scaletta interna.

«Vado», disse il Rodigatti.

51.

Le due sorelle avevano dormito assieme, nel lettone matrimoniale. La Fioralba s'era diretta subito alla sinistra così la Rosalba era stata certa di sdraiarsi dalla parte che per tante notti aveva occupato il povero Eraldo.

Il Ferrascini invece s'era steso sul divano.

Comodo, appena un po' corto. Per non lasciar fuori i piedi aveva dovuto rattrappirsi.

Dormire aveva dormito poco però, e non per colpa del divano.

I pensieri piuttosto.

Due.

Primo, la fame.

Avevano cenato, d'accordo.

Ma: «Con quello che ho in casa», aveva detto la Fioralba che, stante tutto quello che era successo, tra andare e tornare dall'ospedale eccetera, s'era arrangiata un po' qui e un po' là.

Quello che aveva in casa era qualche marmellata, qualche maionese, qualche pezzetto di formaggio che non sapeva di niente.

Ma la Svizzera non era famosa per il formaggio?

Pane, niente.

Cracher.

«Crecher», l'aveva corretto puntigliosa la Rosalba, scritto cracker, ma pronunciato crecher.

Va bene, ma fatti con cosa?

Con la segatura delle betulle?

L'altro pensiero invece era l'Eraldo.

Durante la cena, se cena la si poteva chiamare, il Ferrascini aveva aspettato che la Fioralba dicesse qualcosa sull'arrivo della salma. Solo alla fine, quando aveva versato il caffè, se si poteva chiamare caffè quel brodo marroncino, trasparente e pure lui con un vago sapore di sagrestia, aveva svelato il mistero.

«Domani mattina vado all'ufficio di sepoltura», aveva detto.

A prendere accordi per il funerale.

Allora il Ferrascini s'era sentito libero di chiedere senza per questo fare la figura del villano o peggio. Prima di chiedere quello che gli interessava sapere aveva messo un po' di vaselina sulla lingua, domandando se poteva fare qualcosa. La Fioralba aveva appena squittito una risposta negativa: era già tanto averli lì a farle compagnia.

«E quando sarà?» aveva allora chiesto lui.

«Dipende», aveva risposto la Fioralba.

Dipende?, aveva inghiottito il Ferrascini.

Ma dipendeva da cosa, porca la malora!

52.

«Cosa?» chiese il Mario Stimolo.
Cosa aveva sentito il Rodigatti?
«Non lo so. Ha proprio detto così, che ha sentito cose. E vuole parlare con te», rispose la Moribonda.
Poi non aveva aggiunto altro, né lei aveva chiesto spiegazioni. Qualunque cosa avesse sentito, non voleva che altri ne venissero a conoscenza, nemmeno lei, almeno per il momento.
Lo voleva vedere?
Se no lo mandava via, il Rodigatti era ancora giù che aspettava in magazzino.
Il Mario si grattò il moncherino, nervoso, titubante. La Moribonda decise per lui. Qualunque cosa avesse da dire il bergamasco, per il bene di suo marito era meglio che parlasse con lui. Poi, nel caso, avrebbe pensato lei a sistemare come si meritava il Ferrascini.
Il Rodigatti portò nella cucina di casa odore di cantina e si guardò in giro come se dovesse decidere quanti metri quadri fosse il locale. La Moribonda lo lasciò solo col marito.
Non si volle sedere.
«Non ho tempo da perdere», disse subito.
Era lì per riscuotere il soldo della semifinale e anche quello della finale.
«Cos'è 'sta storia?» chiese il Mario Stimolo.
«Me la spieghi tu», rispose il Rodigatti.
Lui aveva sentito cose.

Che il Ferrascini era andato via, e non si sapeva quando tornava. Che forse era andato via apposta per darla vinta a quelli di Cermenate, la coppia che avrebbero dovuto incontrare domenica. Anche che era andato in Svizzera perché aveva trovato lavoro là e avrebbe messo in vendita la ferramenta.

«A me non interessa se era d'accordo con loro, se ha trovato lavoro in Svizzera o se sta cercando l'albero giusto per impiccarsi, se mi spiego», aggiunse il Rodigatti sfregando indice e pollice per chiarire il concetto.

Lui voleva i soldi perché s'era impegnato e per dare retta a lui aveva rifiutato altre offerte.

Mentre il Rodigatti parlava, il Mario Stimolo aveva continuato a grattarsi il moncherino fino a farlo andare a sangue.

«Chi ti ha raccontato queste bugie?» chiese.

Il Rodigatti socchiuse gli occhi.

Si dice il peccato, no?

«Te dammi i soldi e ci vediamo domenica alle dieci a Cermenate. Se ci siete bene se no amici come prima.»

53.

Mercoledì mattina il Ferrascini si era svegliato che era ancora buio.

In verità era stato svegliato dai crampi dello stomaco vuoto per la fame. Si era alzato un po' struppio per la posizione che aveva tenuto dormendo e s'era messo alla finestra a guardare fuori il buio ignoto del cielo sopra Lucerna attraversato di tanto in tanto da qualche luce intermittente fino a che, pennellata dal primo chiarore, aveva visto delinearsi la cima del monte Pilato, dove si diceva avesse trovato sepoltura il cadavere senza pace e rifiutato da tutti di Ponzio Pilato.

Da cadavere a cadavere, il pensiero si era trasferito all'altro, quello dell'Eraldo che era in attesa di sepoltura.

A quel punto s'era staccato dalla finestra e aveva cominciato a passeggiare per casa attendendo da un momento all'altro il risveglio di sua moglie e della cognata.

Si vedeva però che dormivano bene perché, nonostante i piccoli rumori che l'Abramo provocava apposta a mo' di sveglia (picchiar dentro a un mobile, qualche colpetto di tosse, uno sbadiglio da elefante o altri, irriferibili ma che era abituato a rilasciare ovunque si trovasse), le due avevano tenuto duro fino alle sette.

Sette e dieci anzi.

Dalla camera emerse prima la Rosalba con i capelli che sembravano appena usciti da un frullatore.

Per fortuna, pensò il Ferrascini: perché parlare di mangiare in casa di un morto e con la moglie del morto continuava a parergli brutto. D'altra parte la fame era fame e, come si diceva, chi muore giace e chi vive... insomma, era così il proverbio no?

«Adesso vediamo», rispose la Rosalba con un accesso di nausea dopo l'uscita del marito.

«Vediamo subito», ribatté lui per nulla disposto a lasciar cadere la questione.

Punto primo, un po' di spesa andava fatta.

Punto secondo, loro due in quella città dove parlavano solo crucco erano come due cucù in mezzo a un campo dopo che era passato un branco di asini.

Quindi, l'unica che poteva provvedere era la Fioralba che oltre a sapere un po' di tedesco sapeva anche dov'erano i negozi.

Meglio ancora se ci pensava prima di andare da quello dell'ufficio di sepoltura, così loro potevano preparare qualcosa, suggerì con determinazione il Ferrascini che aveva già nostalgia di una bella pasta, un bel ragù, una bella bistecca.

Trovasse lei, che era la sorella, il modo di dirglielo.

«E magari se ce l'hanno, un po' di pane o qualcosa di simile.»

54.

Pure il Mario Stimolo aveva dormito male quella notte.

Le parole del Rodigatti avevano continuato a ballargli nella testa. Non tanto quelle circa la possibilità che il Ferrascini si fosse fatto comperare da quelli di Cermenate per non presentarsi alla semifinale e nemmeno le balle sul fantomatico lavoro trovato in Svizzera.

Piuttosto, quello che il bergamasco gli aveva detto aveva stimolato come si deve la sua immaginazione, che aveva cominciato a proporgli la visione di sviluppi catastrofici, facendogli temere che potesse succedere qualcosa in grado di impedire al bocciatore di tornare a Bellano in tempo per la gara.

Si sapeva mai cosa c'era scritto nelle pagine del destino.

Si era girato di qua e di là, fianco destro, fianco sinistro, a ogni previsione negativa.

Lui o la moglie potevano stare male, beccarsi un qualche accidente.

O se no poteva rompersi la macchina o potevano andare a sbattere.

Oppure quello là non era ancora morto e dovevano stare lì ad aspettare che morisse.

La Moribonda aveva seguito le evoluzioni del marito a occhi chiusi e senza protestare, anche se tutto quel voltarsi e pirlarsi le impediva di prendere sonno.

A un certo punto della notte lo Stimolo, onde permettere alla Moribonda di dormire, aveva fatto finta di calmarsi. Si era sdraiato sulla pancia come suo solito e dopo pochi minuti aveva pure finto di russare. Tempo pochi secondi anche la Moribonda aveva finto di aver preso sonno.

Il Mario ci era cascato, perché le labbra della Moribonda avevano cominciato a vibrare, solleticate dal respiro regolare, come una girandola al vento, proprio come quando prendeva sonno per davvero.

Allora il gestore del Circolo aveva riaperto gli occhi, dando spazio al pensiero che, più di ogni altro, da qualche minuto lo stava turbando.

Che dietro quello che il Rodigatti gli aveva riferito ci fosse la vendicativa mano del Tontoli?

Non era ancora riuscito a immaginare come, ma gli bastava il pensiero che la perfidia umana fosse senza limiti per temere che quella fosse tutt'altro che una fantasia.

In quel caso, cosa doveva fare, come doveva comportarsi?

E, a quel punto, possibile che il Ferrascini non si fosse accorto di niente, non si fosse confidato con lui o, addirittura, fosse infame al punto di non aver detto niente, di subire, di rendersi in qualche modo complice?

«Lascia perdere, non ci pensare, sono tutte fantasie», era sbottata la Moribonda senza riaprire gli occhi.

Il Mario Stimolo era rimasto di stucco.

Ma non così tanto come ci si potrebbe immaginare.

Non era, infatti, la prima volta che la Moribonda gli leggeva nel pensiero.

Di notte però, col buio, non era mai capitato.

55.

Qualcosa di simile al pane la Fioralba era riuscita a trovarla, una roba che comunque sembrava sempre fatta con la segatura delle betulle.

Oltre al resto aveva portato un salame, del formaggio, qualche mela, salse, salsine, salsette e la notizia che l'Eraldo, cioè la salma, sarebbe arrivato nel tardo pomeriggio.

Era arrivato, già incassato, vestito da morto ma non ancora chiuso, verso le cinque del pomeriggio, e non senza qualche difficoltà visti i due piani da fare e la tromba delle scale a misura del resto dell'edificio. L'avevano piazzato nel salottino, spostando divano, tavolino, quattro sedie, tutto schiacciato contro il muro. Quattro ceri elettrici avevano completato l'arredamento.

Funerale venerdì, metà mattina.

E adesso?, s'era chiesto il Ferrascini.

Era seduto sul divano tra la Fioralba e la Rosalba mentre il buio aveva invaso la casa.

La Fioralba, dopo che si erano accomodati tutti e tre di lato alla cassa, aveva raccontato che il responsabile dell'ufficio di sepoltura le aveva spiegato che poteva scegliere tra il far seppellire l'Eraldo in Svizzera oppure farlo traslare in Italia per seppellirlo nel paese natale.

Ma la Fioralba aveva preferito tenerselo lì.

Meno male, aveva pensato il Ferrascini, perché non aveva osato immaginare quanto tempo ci sarebbe voluto per organizzare il trasporto, inchiodandoli lì a Lucerna per chissà quanto.

«Preferisco così», aveva spiegato la Fioralba.

Perché almeno avrebbe potuto andare a trovarlo tutte le volte che voleva.

«Ormai la mia vita è qui in Svizzera», aveva aggiunto.

L'Eraldo infatti aveva lasciato una così buona impressione di sé che il direttore del personale dell'albergo dove aveva lavorato si era impegnato personalmente con lei per trovarle un posto di lavoro, cassiera, commessa oppure addetta ai piani se preferiva, affinché si potesse mantenere e guardare con un poco di serenità al futuro.

La notizia aveva allargato il cuore del Ferrascini e gli aveva risvegliato la fame.

La Rosalba invece si era messa a piangere perché forse sperava che la sorella avesse deciso di tornare in Italia.

Poi aveva attaccato il rosario.

Un'ora buona di orapronobis.

Alla fine il Ferrascini non aveva resistito.

«Volete mangiare qualcosa?» aveva chiesto.

Ormai erano quasi le otto, aveva usato un tono da confessionale, non c'era golosità nella sua voce, la sola necessità di stemperare i borborigmi del suo stomaco che avevano fatto da contrappunto nelle pause del rosario.

Due no, come i colpi di una doppietta, prima sua moglie poi la sorella, l'avevano raggiunto ma non abbattuto.

«Magari io, qualcosina...» aveva sussurrato.

Pane di betulla, salame di magro, acqua di rubinetto. Pensare che in Italia era tempo di cotechini.

Va be', si sarebbe rifatto.

Verso le nove la Fioralba aveva chiesto a sua sorella se volesse dormire un poco, sdraiarsi sul letto.

«Sto qui con te, a vegliarlo», aveva risposto la Rosalba.

«Se vuoi tu...» s'era allora rivolta a lui la cognata.

Il Ferrascini s'era irrigidito.

Dormire lui, sul letto di un morto, e con un morto in casa?

La mano destra s'era infilata nella tasca dei pantaloni e aveva strizzato il pacco.

«Figurati, sto qui con voi», aveva risposto.

56.

Giovedì mattina, tra le dieci e le undici, nell'ora buca che aveva dopo aver fatto un Vendrogno-Bellano e prima di ripartire per un Bellano-Premana, l'autista delle Autolinee Bellanesi Rollini si presentò davanti al banco del Circolo dei Lavoratori dietro il quale la Moribonda stava lavando bicchieri.

L'autista aveva un che di disperato che cercava di contenere e assunse il tono più diplomatico che poteva, perché la Moribonda andava commossa; affrontarla e cercare di batterla era inutile.

Mezz'ora prima però il ragioniere delle Autolinee Bellanesi aveva chiamato il Rollini nel suo ufficio per fargli presente che anche a lui erano giunte certe voci riguardo al Ferrascini e alla sua assenza dal paese, il che metteva in forse la semifinale.

«Ora», aveva chiarito il Campieri parlando con gli occhi fissi su un tabulato sul quale di tanto in tanto spuntava qualcosa, «a me della semifinale e delle bocce in genere non frega un cazzo.»

Ma l'accordo con lui riguardo all'affitto del pullman era cosa fatta e non si poteva tornare indietro.

Visto che il Rollini, aveva continuato il ragioniere, si era fatto garante presso quello stesso ufficio del citato noleggio, onde evitare pasticci o, peggio, guai, l'aveva pregato, si fa per dire, di firmare una carta in cui garantiva di onorare il debito entro sette, dicasi sette!, giorni dall'uso del mezzo, com'era nella prassi dell'ufficio.

«Con la speranza che la direzione, nel caso che il viaggio venga annullato», aveva concluso il ragionier Campieri tirando fuori la certa carta da firmare da un cassetto della scrivania, «non venga a conoscenza di un'analoga richiesta di noleggio da parte del corpo musicale di Dorio, rigettata in quanto mezzo già impegnato.»

Perché allora si sarebbe potuto configurare un danno d'immagine per l'azienda di trasporti, con le inevitabili conseguenze.

Al fine comunque di garantirsi presso la stessa direzione, il ragioniere aveva spiegato al Rollini che, quale responsabile del noleggio, come dichiarava il foglio che aveva testé firmato, nell'un caso o nell'altro lo aspettava non oltre la settimana successiva coi soldi in mano, altrimenti avrebbe recuperato la perdita con una detrazione dal suo stipendio, anche suddivisa in comode rate.

Dopodiché l'aveva congedato, non avendo altro da comunicare, mentre il Rollini, come se fosse inseguito dalla caccia selvatica, aveva fatto vela alla volta del Circolo dei Lavoratori per cercare di avere notizie che gli dessero un po' di pace.

«Non potrei parlarne col Mario?» chiese.

«Non c'è», rispose la Moribonda che aveva finito coi bicchieri ed era passata alle tazzine del caffè.

«Ma cosa devo fare allora?» piagnucolò l'autista.

«Stare tranquillo», rispose la donna, socchiudendo gli occhi per dare maggior forza al suo consiglio.

57.

Un'altra notte così, no, pensò il Ferrascini giovedì mattina.

Forse le donne avevano un'altra tempra, visto che sia la Fioralba sia la Rosalba non davano a vedere di essere incarcagnate come lui dopo tutte quelle ore passate sul divano, un po' a pregare, un po' a dormicchiare, un po' a mormorarsi cose sottovoce.

Tale e quale a lui, s'intende, che ogni tanto si era alzato a fare due passi giusto per sgranchirsi e aveva sempre risposto no alle insistenze di moglie e cognata affinché si stendesse sul letto.

Ma figurarsi, dormire sul letto di un morto e col morto lì a due passi.

Morto che, tra l'altro, stava cambiando colore.

Il Ferrascini lo notò non appena la luce dell'alba si fece più sicura, vincendo la nuvolaglia e il grigiore di quella mattina.

Bluette, notò.

L'Eraldo stava diventando bluette in viso.

Probabile conseguenza di quella cosa che, come avevano detto i dottori, gli era scoppiata nella testa.

Alle due donne, se mai se ne fossero accorte, la cosa non parve fare impressione.

Per il Ferrascini invece fu la spinta decisiva a maturare una decisione.

Una bella notte in albergo, lontano dal morto, a dormire su un letto come si deve. Magari anche mangiare qualcosa di decente.

Certo il problema era dirlo alla Rosalba, ma in qualche maniera avrebbe fatto.

Un altro problema, un bel problema davvero!, era quell'altro che gli si prospettò quando già le comodità di una stanza d'albergo, o pensione che fosse, cominciavano ad affascinarlo.

Si poteva lasciare la Fioralba lì da sola?

La Rosalba avrebbe accettato?

Se mai, al limite, ragionò il Ferrascini, in albergo ci poteva andare da solo.

Anche se da solo, in mezzo a quei crucchi... non che con la Rosalba... però, insomma... essere in due... erano pur sempre in terra straniera, e senza conoscere la lingua...

La soluzione, tanto inaspettata quanto gradita, arrivò nelle prime ore del pomeriggio quando iniziò la processione.

Processione vera e propria, messa su dai colleghi di lavoro del povero Eraldo. I quali, una volta informati che la salma era tornata a casa, cominciarono a visitarla, rendendole l'estremo saluto e porgendo alla vedova le più sentite condoglianze, dividendosi in piccoli gruppi, due, tre al massimo per ogni visita.

A un certo punto il Ferrascini, quasi stordito dal continuo, discreto suonare del campanello che annunciava una nuova visita, non si trattenne più.

«Ma in che albergo lavorava l'Eraldo?» sbottò.

«Uno dei più grandi di Lucerna», rispose la Fioralba.

Centocinquanta dipendenti!

Fossero passati tutti, ragionò l'Abramo, c'era la possibilità di fare notte e forse anche mattina, così che la Fioralba non sarebbe mai rimasta sola in compagnia dell'estinto. Aveva quindi cominciato a preparare il discorsetto da fare alla moglie per convincerla che almeno una notte in albergo sarebbe convenuta a entrambi quando, dopo l'ennesimo squillo del campanello, vide entrare in casa il sacerdote che avrebbe celebrato il funerale accompagnato da due suore.

Il prete, un tipo stinto e con un viso da professorino, prese quasi subito da parte la vedova e dopo che ebbe confabulato con lui la Fioralba volle scambiare quattro parole con la sorella.

A sua volta la Rosalba, fatto un cenno all'Abramo e condottolo nel cucinotto rosa, gli spiegò ciò che il prete aveva detto.

Le due suore appartenevano alla Congregatio Sororum Caritatis Sanctae Crucis, osservavano la regola del terzo ordine regolare di san Francesco: in parole povere si dedicavano soprattutto ad attività educative e di assistenza a persone anziane, inferme o comunque bisognose, come appunto la povera Fioralba in quel momento. Erano quindi disposte, secondo quanto riferito dal sacerdote, a fermarsi con chi volesse farlo per pregare per l'anima del defunto. La Fioralba aveva accettato la proposta e di contro aveva detto alla sorella che, rendendosi conto del disagio di dover passare un'altra notte accampati alla bell'e meglio, se loro due volevano approfittare di un alberghetto delle vicinanze, era disposta non solo a indicarlo ma anche ad accompagnarli.

Non era certo il lussuosissimo hotel dove l'Eraldo aveva lavorato ma il posto era pulito, discreto, dotato di tutti i servizi.

«Sei d'accordo?» chiese la Rosalba.

Oltre che riposare in modo decente, avrebbero anche potuto darsi una ripulita e mettersi in ordine in vista del funerale.

Lo stupore del Ferrascini mentre ascoltava le parole della moglie fu tale che sul suo viso nacque un'espressione quasi dolorosa.

La Rosalba la interpretò subito per un netto rifiuto, pensando che il marito non volesse spendere soldi in alberghi o pensioni.

«Non è nemmeno tanto caro», aggiunse la Rosalba, sua sorella aveva tenuto a farglielo sapere.

L'entusiasmo del Ferrascini si travestì di saggezza.

«D'accordo», disse. «Ma aspettiamo ancora un po' prima di andare», aggiunse.

Non voleva mica dare l'impressione che scappasse o che non vedesse l'ora di lasciare quella casa e il povero Eraldo.

«Hai ragione», fece la Rosalba quasi con le lacrime agli occhi.

Uscirono, dopo due giorni di clausura, verso le sei di sera, quando era già buio, diretti verso lo Schweizergraf Hotel in Luzernerstrasse 104.

Li accompagnava il sacerdote che s'era sostituito alla Fioralba sia perché parlava italiano sia perché era di strada.

58.

Il prete, pretino a giudizio del Ferrascini, si era concisamente presentato ai due: esercitava la sua missione presso la Jesuitenkirche St. Franz Xaver dov'era giunto pochi anni prima, a restauro della stessa non ancora ultimato. Oltre alle sue funzioni pastorali, era anche uno degli organisti che si alternavano allo strumento, costruito nel 1897, durante le celebrazioni.

Per il resto disse ai due di seguirlo e si avviò di buon passo obbligando la Rosalba e l'Abramo ad allunghi improvvisi se non volevano perderne le tracce. Solo in vista dell'hotel il sacerdote rallentò fermandosi infine ai piedi della breve scala che dava accesso alla hall e facendo cenno ai due di precederlo.

Fatti due passi all'interno, e colpiti dalla vivacità delle luci che animavano l'ambiente, il Ferrascini si bloccò all'istante mentre la Rosalba si girò a cercare con gli occhi il sacerdote che, mite e a testa bassa, tornò a superarli per raggiungere il banco della reception e chiedere una camera per i due.

Il Ferrascini osò allora qualche movimento. Del capo innanzitutto, tanto per prendere visione dell'ambiente dov'era capitato e, così a stima, farsi un'idea di quanto gli sarebbe costata la notte.

La notte e una cena.

L'appetito infatti si era risvegliato stante quel poco che aveva consumato per pranzo, se pranzo si poteva chiamare una tazza di tè con qualche biscotto all'aroma di zenzero, e la passeggiata fatta dentro l'aria fresca, addirittura fredda, per giungere sino all'albergo.

Fu fotografando l'ambiente, mentre il prete concordava la stanza e la Rosalba aveva fatto due passi fermandosi poi a metà strada tra lui e il sacerdote, che il Ferrascini notò, ai piedi della scala che portava ai piani superiori, un cestello che sembrava contenere...

Fece pure lui due passi infilandosi le mani in tasca e dandosi un'aria sufficiente, e quando fu nei pressi della cesta si confermò di aver visto giusto: erano mele.

Mele belle rosse.

Grosse anche, come bocce, gli venne da pensare sorridendo.

E sorridendo allungò una mano verso il cestello per prenderne una.

Se l'avesse presa per mangiarla o solo per annusarne il profumo, non lo sapeva nemmeno lui al momento.

Ma dal banco della reception si levò comunque una voce gutturale che attraversò tutto lo spazio della hall per giungere fino alle sue orecchie.

«Scvainzelgruzinzertenimmglachnotfinugghe!»

Questo è ciò che le orecchie del Ferrascini percepirono.

Un rumore di ferraglia, di vetrate rotte, di freni arrugginiti trasformato in linguaggio.

Quelle parole ostrogote, si chiese, erano rivolte a lui o a qualcun altro?

E se anche fosse stato, come si poteva pretendere che lui capisse qualcosa di una lingua le cui parole sembravano tamponarsi una con l'altra, come le macchinine degli autoscontri?

La mela in mano, si guardò in giro.

Lo sguardo dell'addetto alla reception così come quello del sacerdote e quello di un paio di clienti che sonnecchiavano in poltrona erano rivolti a lui.

Infine lo raggiunse anche quello della Rosalba.

E poi ancora:

«Inzvaizensfagghengast».

Parlava, anzi, urlava proprio con lui, quello.

Ma cosa cazzo voleva?

Il Ferrascini aveva sempre la mela in mano, si guardava in giro. Il sacerdote gli fece allora cenno di attendere. Poi rivolse lo stesso cenno all'addetto alla reception, scambiando anche un paio di parole, e quindi si diresse verso di lui, seguito dalla Rosalba non poco impaurita dalla veemenza di quella voce.

«Non si possono mangiare», disse subito il sacerdote.

«Le mele?» chiese il Ferrascini.

Proprio.

«Be', ma se c'è da pagare qualcosa...» obiettò l'Abramo.

Il prete sorrise.

Un sorrisetto compassionevole, accompagnato da un lieve scuotimento del capo.

«Non è questione di soldi», disse.

«Ah no?» sbottò il Ferrascini.

«No», ribadì il sacerdote.

E ancora un mezzo sorriso e uno sbuffetto che gli uscì dal naso.

«Ma cosa allora?» chiese il Ferrascini.

Lo infastidiva l'atteggiamento del pretino.

Cos'era tutto quel mistero, uno dei segreti di Fatima?

«Non scherziamo», reagì il sacerdote.

Quelle, piuttosto, erano le mele di Kafka.

«Una qualità rara?» chiese la Rosalba.

Il sacerdote sorrise.

Indulgente, visto che a parlare era stata la donna.

«Ma no cara signora», disse, «Kafka è, anzi, era uno scrittore.»

«Ah be', allora...» sbuffò il Ferrascini.

Ma la Rosalba gli rubò il tempo prima che aggiungesse altro.

«E cosa c'entra uno scrittore con le mele?» chiese.

Il sacerdote restò per un momento perplesso, si stava

chiedendo cosa rispondere per risolvere in fretta una conversazione che poteva divenire surreale: era fin troppo evidente che, mele a parte, nessuno dei due sapeva chi fosse Franz Kafka.

«Be', niente...» borbottò.

Però, insomma...

Carità cristiana voleva che una spiegazione, ancorché breve, concisa, la desse anche a quei due sconcertanti personaggi.

«Ecco, si tratta di una vecchia storia», disse poi.

Blop!, fece lo stomaco del Ferrascini.

Il suo sguardo si puntò sulla moglie.

Voleva piantarci le tende lì dov'erano?

Ma la Rosalba:

«Che storia?» chiese.

Prima o poi in paese sarebbero tornati, sì o no?

E tra le tante cose che avrebbe avuto da raccontare, la bellezza di Lucerna, il lusso dei negozi e la piccolezza delle case, il pane di betulla e la faccia color bluette del povero Eraldo, le sarebbe piaciuto aver qualcosa di particolare.

Una storia vecchia era quello che ci voleva: le avrebbe dato l'aria di non aver perduto l'occasione, benché ci fosse stata di mezzo la morte dell'adorato cognato, di istruirsi un poco.

Il pretino sorrise.

Percepiva l'assoluto disinteresse del Ferrascini, gli gemeva dal viso come sudore. Ma la Rosalba insisté, sorridendo.

«È un segreto?»

«No», rispose il sacerdote, «che segreto!»

Anzi, era una cosa nota a tutti.

A quasi tutti cioè.

E, cercando di essere chiaro, continuò:

«Pare che...»

59.

Pareva, si diceva almeno, che il praghese Franz Kafka, scrittore di incubi e ossessioni, buio come la notte più nera, avesse soggiornato qualche settimana presso quello stesso hotel.

«Erano i primi del secolo, forse il 1910», specificò il sacerdote.

Sulla data però, come sul resto d'altronde, non c'erano pareri unanimi. In ogni caso, ciò che era passato alla storia e che costituiva la ragione della presenza di quel cestello pieno di mele era il fatto che quel Kafka poco prima di andarsene si fosse lamentato con il direttore di allora per la scarsa qualità e quantità di frutta che gli veniva servita a tavola.

Il Ferrascini a quel punto volle intervenire, non era nato per fare la bella statuina.

«E cosa c'è di strano? Se la frutta faceva schifo...»

Il sacerdote si rivolse a lui.

«Di strano niente», rispose.

Forse, agli occhi di chi lo conosceva, poteva sembrare stravagante che uno scrittore del suo genere, uno che aveva scritto solo di incubi...

«Uno famoso per molti romanzi e racconti», spiegò il sacerdote, «soprattutto per uno dove racconta la storia di un uomo che una bella mattina si sveglia e si trova trasformato in scarafaggio, destinato a essere schifato come quell'insetto repellente e infine a morire.»

Insomma, proseguì il sacerdote mentre la Rosalba rabbrividiva al pensiero degli scarafaggi e del raccapricciante rumore che producevano quando ne schiacciava qualcuno nella cucina di casa sua... insomma, poteva sembrare incongruente che uno scrittore di quel genere di cose, uso a indagare i segreti più torbidi dell'animo umano, si potesse preoccupare di una frivolezza quale la frutta.

«Tutto lì», fece il sacerdote.

Al Ferrascini quella storia sembrò un'immensa idiozia. Se l'avesse raccontata ai suoi soci del Circolo l'avrebbero preso per cretino.

Se ne guardò bene dal dirlo, per rispetto alla veste talare, ma cosa c'entrassero le mele con il tizio degli scarafaggi, quelle mele lì soprattutto che erano belle sane, profumate e sembravano dire mangiami mangiami, non riusciva a capirlo.

Neppure la Rosalba, che però ebbe la sincerità di ammetterlo.

Di nuovo il sacerdote si appoggiò a un sorriso serafico per trovare la pazienza di spiegare ciò che chiunque avrebbe già compreso.

«Sono lì a ricordo dell'episodio, vero o falso che sia.»

Il praghese, riprese a raccontare, già all'epoca del suo passaggio a Lucerna, sempre che fosse vero e non leggenda, era comunque abbastanza famoso. E il direttore d'allora, probabilmente punto sul vivo dall'osservazione che gli era stata rivolta, aveva deciso di storicizzare l'episodio facendo mettere nella hall dell'albergo un cestello con delle mele sempre fresche, tradizione che era passata di direttore in direttore sino ai giorni attuali.

«È per quello che sono dette le mele di Kafka.»

Erano lì per bellezza, per ricordo.

Lo sapevano tutti, era anche scritto sulla brochure dell'hotel.

Nessuno le toccava, men che meno a qualcuno sarebbe venuto in mente di mangiarle.

Per questo l'addetto alla reception s'era messo a gridare quando aveva visto il Ferrascini afferrarne una e fare la mossa di portarsela alla bocca.

«La stavo solo annusando», borbottò l'Abramo.

«D'accordo», disse il sacerdote.

Ma l'impiegato non poteva certo saperlo.

La Rosalba guardava il sacerdote affascinata, il racconto l'aveva suggestionata: sentiva ancora su di sé la pelle d'oca al pensiero di un uomo trasformato in scarafaggio e poi morto, come aveva detto il sacerdote.

Ma morto come, forse schiacciato proprio come uno scarafaggio?

Pensava al rumore che ne sarebbe venuto, una cosa da far vomitare.

Il Ferrascini ormai non aveva altra voglia che salire in camera, sdraiarsi sul letto, riposare un po' e poi farsi una bella cena come gli sembrava di non fare da settimane.

«E la frutta com'è adesso?» chiese.

Forse solo per dire qualcosa o forse davvero preoccupato sulla qualità e quantità della stessa.

Il sacerdote lo guardò.

«Cosa vuole che ne sappia», rispose.

60.

La camera, l'èra ora.

Bella, comoda, luminosa.

Il Ferrascini si buttò subito sul letto, scarpe comprese.

La Rosalba andò a fare la pipì. L'Abramo ne ascoltò i rumori con un certo brivido. Era la prima volta che avvertiva la presenza di sua moglie con tanta intimità. Non che pensasse che la Rosalba non pisciasse mai. Ma non l'aveva mai sentita farlo, a casa loro il cesso era fuori, sul ballatoio.

Accese l'abat-jour e spense la luce centrale. La Rosalba continuava a restare nel bagno. Il Ferrascini non osò pensare perché e chiuse gli occhi, godendo la mollezza del materasso, il silenzio, il lusso mai provato.

La Rosalba aveva bisogno di distrarsi dal pensiero insistente dell'Eraldo e anche da quell'altro più recente, l'uomo diventato scarafaggio, e stava facendo un'ispezione del bagno.

Una meraviglia.

Pieno di cose e cosine.

Asciugamani per ogni necessità. Saponi, schiume. Anche una bustina con ago e filo. E la vasca.

Di quelle lunghe, dove si poteva stare sdraiati.

Mai provata.

A casa, stante lo spazio a disposizione, l'Abramo aveva fatto montare una di quelle dove si poteva stare solo seduti.

Un bel bagno, dopo tutte le emozioni di quei giorni, era quello che ci voleva.

Lo disse al marito.
«Magari dopo lo faccio anch'io», rispose il Ferrascini sbadigliando.
Magari, ripeté tra sé la Rosalba.
Tra le due confezioni di schiume da bagno che l'albergo offriva, la donna scelse quella al bergamotto.
Chissà, forse per via del nome le ricordava un po' casa. Una volta dentro quell'acqua calda e schiumosa provò un po' di immotivata vergogna.
Come se il sacerdote che li aveva accompagnati fosse lì a guardarla.
E il pensiero del sacerdote diede maggior forza a ciò che aveva raccontato a proposito delle mele, dell'uomo che si svegliava al mattino e si ritrovava trasformato in uno scarafaggio.
Così, nonostante l'acqua del bagno fosse bella calda, la Rosalba si vide fiorire addosso la pelle di cappone.

61.

Il nome dello scrittore se lo ricordava, era facile. Non sapeva come si scrivesse ma importava poco. Nella piccola biblioteca del Comune magari l'avrebbe trovato.

Lo ripeté a bassa voce, mentre si stava asciugando.

«Cafca.»

E il titolo del libro?

Stessa storia, non lo sapeva, non se lo ricordava. Forse il sacerdote non l'aveva nemmeno detto.

Ma conosceva la trama.

La ripeté a bassa voce.

«È la storia di un uomo che si sveglia alla mattina e si trova trasformato in uno scarafaggio.»

Aveva finito di asciugarsi. Si mise l'accappatoio, sbirciò dalla porta, casomai suo marito volesse fare subito il bagno prima di andare a cena.

Gli avrebbe preparato la vasca.

Ma il Ferrascini dormiva, la bocca spalancata, un rumore come se lo stessero soffocando lentamente. Anche un evidente gonfiore al cavallo dei pantaloni.

La Rosalba uscì dal bagno, i piedi, nudi, solleticati dalla moquette che rivestiva il pavimento. Andò a sedersi su una poltroncina, dirimpetto al marito. Si sentiva stanca, diede la colpa al calore dell'acqua, agli eventi degli ultimi giorni. Le sembrò che, alla stanchezza, contribuisse pure la camera dell'albergo, la sensazione di lusso che emanava anche se sua sorella le aveva detto che si trattava di una pensioncina.

A lei, che mai prima d'allora aveva abitato una camera d'albergo, pareva tutt'altro.

Si avvolse per bene nell'accappatoio e, tempo pochi minuti, si addormentò.

62.

Il Ferrascini si risvegliò con la sensazione di non riuscire più a respirare. Gli capitava spesso anche a casa, colpa dell'abitudine di dormire sempre a bocca aperta.

Gli si asciugavano le fauci.

Si tirò a sedere sul letto e per qualche istante dovette fare il punto della situazione: dov'era e perché prima di tutto.

Poi che aveva fame.

Che ore erano?

Cristo, le nove.

«Rosalba!»

Insieme col richiamo l'Abramo accese la luce centrale.

La Rosalba si svegliò di scatto, l'accappatoio un po' aperto sul davanti a esibire parte delle tette già molli.

Il Ferrascini ribadì l'orario.

«Sono le nove!»

Perché non l'aveva svegliato?

«Dormivi così bene...» rispose la donna.

Il Ferrascini non commentò.

«Dai, vestiti che andiamo a mangiare», disse.

«Ma dove?» chiese lei.

Il Ferrascini sorrise, superiore.

«In qualunque posto fanno da mangiare», rispose.

«E se stessimo qui?» propose la Rosalba.

«Qui?»

Non in camera, spiegò la donna. Ma in albergo. Era un albergo ristorante. Non aveva voglia di uscire, camminare, raffreddarsi ancora dopo quel bel bagno caldo.

Il Ferrascini grugnì.

Poteva andare bene, bastava che non facessero anche lì segatura di betulla e salame di magro.

Circa il resto, il linguaggio dei gesti avrebbe chiarito a qualunque cameriere del mondo che lui voleva mangiare e bere.

Purtroppo però a quell'ora la cucina era chiusa, il servizio ristorante finito. Non fu nemmeno necessario chiedere. La porta a vetri che dava accesso al ristorante era bloccata, dietro di lei solo buio e le macchie bianche dei tavolini già pronti per la colazione.

Nella hall qualche cliente con un bicchiere in mano sfogliava giornali seduto nelle poltroncine.

La Rosalba e il Ferrascini uscirono sotto lo sguardo dell'addetto alla reception che nel frattempo era cambiato.

63.

Il profumo del pane appena sfornato cominciava a uscire dal forno dei fratelli Scaccola per invadere le contrade del paese attorno a mezzanotte.

In realtà il forno non era più degli Scaccola, Chiaro e Vinezio, aveva un altro proprietario, Evemiro Panozzi, subentrato dopo il furioso litigio che aveva sancito il divorzio tra i due fratelli: culo e camicia per anni, le cose tra loro avevano cominciato a stortarsi quando entrambi si erano fidanzati. Quando le fidanzate erano poi diventate mogli e avevano cominciato a mettere il becco negli affari di famiglia, il patatrac si era consumato del tutto. Forno venduto, ricavi equamente divisi e ognuno per la sua strada, cioè ancora a fare i fornai ma sotto padrone, uno a Esino Lario e l'altro a Civate.

Il profumo del pane però era sempre lo stesso e secondo quanto la gente continuava a dire, con gran dispetto del nuovo gestore Panozzi, veniva dal forno dei fratelli Scaccola.

Alla Moribonda quel profumo piaceva sopra ogni altro. Le conciliava il sonno, le dava allegria, e un senso di pace che le permetteva di mantenere sempre la maschera di imperturbabilità per la quale era nota e anche temuta. Era il profumo che le dava la certezza che il giorno seguente avrebbe ritrovato le cose di sempre ed era quello che si augurava di poter sempre sentire ogni notte prima di chiudere gli occhi. Se un giorno o l'altro per qualunque ragione quel profumo avesse dovuto sparire, si augurava che ciò potesse accadere quando lei aveva ormai chiuso definitivamente gli occhi su questo mondo. Convinta peraltro che se c'era un profumo in grado di resuscitare i morti era proprio quello di pane appena sfornato che invadeva la contrada uscendo dal forno dei fratelli Scaccola o comunque adesso si chiamasse.

Un profumo che se in quell'istante fosse andato a solleticare le narici del Ferrascini, forse l'avrebbe invece ammazzato, visto che non aveva bisogno di resurrezioni, grazie alla fame animale che lo attanagliava.

Se il ristorante dell'albergo era chiuso non lo erano da meno quei tre o quattro locali che lui e la moglie avevano passato in rassegna facendo un giro in tondo attorno all'hotel e senza mai allontanarsi troppo per paura di perdersi o altro.

Si sapeva mai infatti, sempre in terra straniera si trovavano!

A essere sinceri in un paio di locali avevano anche infilato il naso, vincendo una paurosa ritrosia davanti alle loro porte dai vetri opachi e lo stupore generato dalla penombra da coprifuoco che regnava all'interno. Ma gli sguardi che, dietro la cortina di fumo che li velava, s'erano subito rivolti verso di loro e il silenzio che li aveva accolti dopo aver aperto la porta avevano convinto entrambi a battere in ritirata, facendo concludere al Ferrascini che forse avevano varcato la soglia di club privati.

Il risultato era che alle dieci di sera marito e moglie erano rientrati in albergo salutati da un impassibile portiere di notte. Avevano preso la strada del ritorno verso la loro camera con nonchalance.

Il Ferrascini, a dimostrazione del fatto che non aveva alcuna voglia di andare a dormire senza mettere niente nello stomaco – «Anche perché così come sono non riuscirei a prendere sonno» –, aveva cominciato a passeggiare in tondo, sotto gli occhi della Rosalba che, pur avendo anche lei un certo appetito, si stava preparando per la notte.

Già da un po' pensava alle mele, a quelle mele che aveva occhieggiato anche poco prima mentre risaliva in camera.

Già da un po' la Rosalba sospettava che il marito ci stesse pensando.

E quando l'aveva visto stendersi sul letto senza cambiarsi accanto a lei che invece si era già infilata sotto le coperte, aveva avuto la certezza che l'Abramo stesse meditando il colpo.

«Perché non ti cambi?» aveva chiesto.

Non avesse avuto la certezza che la moglie si sarebbe opposta al progetto, si sarebbe confessato.

Ma non aveva avuto voglia di discutere.

«Devo andare in bagno prima», aveva risposto.

«E perché non ci vai allora?» aveva domandato ancora la Rosalba.

Lì, sotto le coperte, al calduccio dopo il freddo patito durante l'inutile ricerca di un ristorante, grazie anche alla comodità del materasso, le stava venendo un po' di sonno: ma non voleva cedere per non lasciare il marito incustodito e libero di agire.

«Perché non è ancora il momento», aveva risposto lui.

Quindi, opportunamente, aveva spento l'abat-jour, mossa che era stata esiziale per il sonno della Rosalba.

Aveva atteso mezz'ora, senza muoversi, ascoltando il respiro della moglie e i rumori di lavandino del suo stomaco.

Poi s'era tolto le scarpe per evitare il più piccolo rumore e s'era avviato.

64.

Scrocchiava.
Di più.
La michetta dei fratelli Scaccola era più croccante di quelle che sfornava Evemiro Panozzi.
Lo diceva la gente, la voce era giunta anche alle orecchie del nuovo fornaio.
Ma nessuno mai aveva avuto il coraggio di dirglielo in faccia.
Che lo facesse qualcuno!
Avrebbe risposto che erano tutte cazzate.
Come faceva a scrocchiare di più se usava la stessa farina, lo stesso impasto, la stessa acqua, la stessa legna, lo stesso forno, gli stessi tempi di cottura e via dicendo!
La gente parlava solo perché aveva la lingua, doveva dare aria alla bocca, diceva cazzate!
Ma le diceva e continuava a dirle.
Convinta.
La Rosalba invece trovava che non ci fosse poi questa gran differenza.
Acquistava sette michette tutti i giorni ma una volta dentro casa erano diventate sei perché piano piano, infilando una mano dentro la borsa della spesa, ne spezzettava una e se la mangiava un boccone dopo l'altro.
Scroc, scroc...
Le sembrava di sentirlo adesso mentre sognava quel rumore secco che le faceva venire l'acquolina in bocca. Un sorriso, come se davvero avesse la mano dentro la

borsa della spesa ad afferrare la michetta, le comparve in viso e, rattrappendosi per il piacere che il sogno le stava regalando, si girò sul fianco destro, sognando di nuovo lo scrocchiare del pane appena sfornato che si rompeva sotto le sue dita...

Scroc!

Aprì gli occhi un istante e nella penombra incompleta per le luci che venivano dall'esterno vide suo marito che...

Scroc!

...dava l'ennesimo colpo di mascella a una mela.

Allora si levò a sedere sul letto.

«Ma cosa fai?»

Aveva parlato a voce un po' alta.

«Sssh!» fece l'Abramo.

«Cosa stai facendo?» ripeté la Rosalba.

L'Abramo decise per la logica.

«Mangio.»

«Ma perché?»

«Perché ho fame.»

La Rosalba si sistemò i capelli.

Non si era spiegata bene forse o forse suo marito fingeva di non capire?

«Sono quelle mele?» chiese.

«Se anche fossero?» ribatté l'Abramo.

«Se anche fossero...» mormorò la donna.

E si lasciò ricadere sul cuscino.

Ma come faceva a non capire?

Non l'aveva spiegato chiaramente il sacerdote che quelle mele erano lì per bellezza, a ricordo di quello scrittore, che nessuno le toccava, che...

«Non c'era nessuno, nessuno mi ha visto, può essere stato chiunque a prenderle», disse il Ferrascini.

Sempre che le contassero, naturalmente!

«Quante ne hai prese?» chiese la Rosalba.

«Solo tre», rispose l'Abramo.

E nel caso le avrebbe pagate.
«Dormi va'», consigliò il Ferrascini masticando il torsolo dell'ultima mela, «e sta' tranquilla, cosa vuoi che succeda?»
La Rosalba s'era già girata sull'altro fianco, gli occhi aperti, pensava a quello scrittore, quel Cafca, all'uomo che era diventato uno scarafaggio e chissà che fine faceva, in che maniera moriva.
L'Abramo fece un rutto con lo sfiato.
«Buonanotte.»

65.

Difficili da prendere, gli scarafaggi.
Bisognava essere più svelti di loro e coglierli di sorpresa.
Erano schifosi senza rimedio.
Faceva senso anche ucciderli, quello scricchiolio umido che emettevano e la poltiglia giallognola che rilasciavano una volta schiacciati...
Di tanto in tanto la Rosalba se li trovava in cucina quando le capitava di doversi alzare di notte per un motivo o per l'altro, accendendo all'improvviso la luce.
Era il momento migliore per beccarli.
Un fuggi fuggi che animava il piano del lavello e che le dava i brividi. Menava colpi a caso, il più delle volte a vuoto.
Dove andassero a nascondersi lo sapeva il demonio.
Se lo diceva all'Abramo, quello scrollava le spalle.
«Vanno e vengono, come noi», le aveva spesso risposto, ridendo.
Lo stomaco finalmente pieno di qualcosa, l'Abramo trovò quasi subito il sonno. La Rosalba stava pensando alla figura che avrebbero fatto se qualcuno si fosse accorto che il marito s'era preso e mangiato tre di quelle mele messe lì per bellezza. Tuttavia dopo una mezz'ora di riflessioni non s'era ancora formata un'idea precisa su come giustificare il fatto. Lentamente s'era lasciata andare al sonno e con quello aveva ripreso anche il sogno.
Infilava la mano nella borsa della spesa ma anziché trovare la solita michetta da sminuzzare avvertiva il solletico

di quegli insetti orripilanti che le camminavano sulla pelle. Nonostante lo schifo, il terrore, non riusciva a ritrarre la mano dalla borsa, come se qualcosa gliela trattenesse. Allora chiamava l'Abramo perché le desse un aiuto e lui rispondeva, la voce era la sua ma usciva dalla bocca di uno scarafaggio mostruoso, gonfio, quasi pronto a scoppiare per spargere tutto intorno e addosso a lei quel liquido schifoso, giallognolo, puzzolente che premeva sotto la corazza...

La Rosalba si svegliò di soprassalto respirando come se uscisse da un'apnea.

Girò lo sguardo verso il lato dov'era suo marito.

Lo guardò per bene, a lungo.

Dormiva.

Il suo respiro sapeva di mela.

66.

La mattina era grigia, c'erano foglie per le strade ma neanche un alito di vento.

Forse aveva soffiato durante la notte, poi s'era calmato. C'era un'atmosfera di quiete che sembrava calare dal cielo alto e velato e rallentare i movimenti dei pochi, pochi ancora nonostante l'ora, che stavano aprendo i negozi della via.

La Rosalba era uscita dall'hotel con lo sguardo fisso verso un punto non ben definito, evitando di guardare il cestello delle mele, i camerieri che giravano per la hall, l'addetto alla reception. Dietro di lei il Ferrascini s'era dato un'aria mondana, fischiettava cioè la personale variazione del *Carnevale di Venezia*, per dissimulare l'ansia di ciò che poteva accadere.

Non appena sveglio aveva pensato a quello che la moglie gli aveva fatto notare la sera prima.

Poteva avere ragione?

Poteva accadere che di lì a poco incontrasse il direttore dell'albergo che gli chiedeva conto delle tre mele mancanti?

Cosa avrebbe fatto, cosa avrebbe risposto?

Avrebbe messo mano al portafoglio?

Oppure quello avrebbe chiamato i gendarmi?

Forse la cosa migliore era fare il fesso, fingere di non capire, anche perché c'era poco da fingere se quello gli avesse parlato in tedesco.

Niente, invece.

Una volta fuori, tirato un bel respiro d'aria fredda e saporita di caffè, disse:

«Visto?» e s'avviò nella direzione sbagliata.

«Di qua!» lo richiamò la Rosalba che invece aveva memorizzato la strada.

Camminarono in silenzio fino a trovarsi davanti al portone della Fioralba.

Secondo l'uso italiano, un piccolo manifesto annunciava il funerale.

Strano l'orario, le dodici, ma tant'era.

Magari, rifletté l'Abramo, non c'era solo l'Eraldo da mettere sotto terra quel giorno.

Dentro, in casa, c'era già un po' di gente.

Colleghi dell'Eraldo, giudicò il Ferrascini, sapevano di fritto e di minestra. Indagò qualche coppia di piedi, per verificare se fosse piatta come si diceva dei camerieri.

Anche le suore erano ancora lì. Sembravano le stesse del giorno prima, forse no, però, boh!

La Fioralba invece non sembrava più nemmeno lei. Il colore delle occhiaie era lo stesso bluette della faccia del povero Eraldo che, per fortuna, era già stato chiuso.

Una delle suore a un certo punto si avvicinò alla Rosalba.

«È lei la zorella fero?» chiese.

Avuta la conferma:

«Mi permetta ti tire tue parole», aggiunse sollevando a vi indice e anulare.

Il Ferrascini fece un passo di lato, la suora aveva fatto un cenno come se volesse parlare con la Rosalba da sola a sola.

Due parole però, stava pensando l'Abramo, aveva bisogno di farle anche lui.

Col telefono, al telefono.

Approfittando del fatto che la Rosalba stava confabulando con la suora, si avvicinò alla cognata.

«Scusa neh, so che non è il momento», disse.

Ma aveva proprio bisogno di fare una telefonata in Italia.

Un fornitore... una consegna... gli dispiaceva...

«Fa' pure», sussurrò la Fioralba.

«Ti ringrazio, però...»

Come si faceva... c'era un centralino o sennò un prefisso...

«Lo so che non è il momento...»

«Non preoccuparti.»

Gli spiegò come fare nel momento in cui la Rosalba, dopo aver ascoltato la suora, giunse alle sue spalle.

«Devo dirti una cosa.»

67.

Nel corso della notte la Fioralba era stata male.
Niente di che, uno svenimento.
La debolezza, il dolore, la preoccupazione sul futuro...
Era stato chiamato il dottore che aveva tranquillizzato sia lei sia le due suore. Ma aveva consigliato di non lasciarla sola in quella casa dopo le esequie del marito.
«Almeno per qualche giorno è utile che abbia qualcuno intorno, qualcuno che si occupi di lei», aveva detto il medico.
Al Ferrascini venne il sudore freddo.
Sta' attento che questa qui, pensò riferendosi alla moglie, adesso mi viene a dire che...
«Cioè», chiese, «quindi...?»
La Rosalba deglutì.
S'erano offerte le due suore, spiegò.
«In che senso?» chiese l'Abramo.
Nel senso che avevano proposto alla Fioralba di andare a stare qualche giorno presso di loro. Potevano metterle a disposizione una cameretta tutta per lei, loro avrebbero badato a che non le mancasse niente, garantendo tranquillità e anche un controllo da parte del medico che passava quasi ogni giorno da loro per visitare le religiose più anziane.
La Fioralba aveva accettato, non c'era stato bisogno di convincerla, l'idea di ritrovarsi sola soletta dopo il funerale non le garbava.
«Quindi, noi...» fece la Rosalba.

Loro, sempre che lui non avesse niente in contrario e se la sentisse, potevano ripartire per casa quel giorno stesso, nel pomeriggio.

«Perché non dovrei sentirmela?» ribatté il Ferrascini.

Alla notizia dello scampato pericolo, si sentiva pronto anche a farsela a piedi da lì fino a Bellano.

«Ma tua sorella non si offenderà?» chiese tanto per dire qualcosa.

«L'ho già informata. Anzi, è stata lei stessa a dirmelo. D'altronde, se lei se ne va dalle suore...»

Il Ferrascini era al settimo cielo, si vedeva già a casa. Anzi, già al Circolo ad allenarsi un po' per la semifinale.

Non si contenne.

Avvertì, senza che ci potesse fare qualcosa, un sorriso farsi largo tra i muscoli del volto.

La fronte della Rosalba si aggrottò.

L'Abramo riprese il controllo.

«A proposito», disse per distogliere qualunque sospetto della moglie, «tu sai per caso il numero di telefono della parrocchia?»

«Sì», rispose la Rosalba, «perché?»

Era ovvio: perché lui non sapeva quello del Circolo dei Lavoratori. Ma non era cosa che potesse dire.

«Mi piacerebbe... cioè...» rispose quindi, «ecco... mi sembra una buona cosa ordinare una messa per il povero Eraldo. Se la cosa ti pare, neh.»

Le pareva, rispose la Rosalba, le pareva... ma...

«Per telefono?» chiese.

Aveva sempre detto di non sopportare quell'aggeggio, non aveva mai voluto farsene impiantare uno in casa nonostante lei l'avesse più volte pregato di farlo, illustrandogli i numerosi vantaggi che avrebbero avuto, anche tenendo in considerazione l'attività... e poi erano in Svizzera e per telefonare in Italia magari...

«So come si fa», la rassicurò lui.

68.

Uno squillo.
I campàn del dòm!
«Ma pròpi adès!» sbottò la perpetua.
Stava battendo con sistematica precisione, e un po' di naturale cattiveria, una cotoletta, de quèi col mànec.
Un altro squillo.
«Vègni!»
Depose il batticarne, si avviò, tranquilla.
Strano, ma tranquilla davvero.
Lasciò che il telefono squillasse una terza e una quarta volta.
«Pronto!»
«Pronto!» la voce dall'altra parte.
«Sì, pronto», la perpetua.
«Pronto, è il prevosto?»
La perpetua restò interdetta: cosa l'èra, una domanda o cus'è?
«Ma chi è?» chiese.
«È il Ferrascini», fu la risposta.
Ah!, pensò la perpetua. Quel bròc!
«C'è il prevosto?»
Eccolo, pròpi lù!
Se mai, il signor prevosto.
Comunque non c'era, davvero.
«Al gh'è minga!»
Ostia, mormorò il Ferrascini.
Cosa doveva fare?

Aveva una sola telefonata, e doveva giocarsela bene.
Non c'era alternativa.
«Posso dire a lei?» chiese.
Perché no?
Era mica scema e le orecchie per sentire ce le aveva anche lei.
«Ch'el disa», fece la perpetua.
Ecco... alòra...
«L'Eraldo, si ricorda quello...»
«Sì, sì», tagliò corto la perpetua.
«Ecco, è morto», fece il Ferrascini.
O, poarèt!
D'altronde l'èra conscià, o no?
«Sì, sì», confermò il Ferrascini.
Lo mettevano via fra un paio d'ore.
«Amen», concluse la perpetua.
Però, con tutto il dispiacere, perché il Ferrascini aveva telefonato in canonica, perché voleva parlare col prevosto?
«Appunto», fece l'Abramo.
E abbassò la voce.
«Per una cortesia.»
«Se posso...» fece la perpetua.
Una cortesia che consisteva nell'andare al Circolo dei Lavoratori per dire al Mario Stimolo che, appunto, l'Eraldo era morto, il funerale era quel giorno e lui, spiegò il Ferrascini, sarebbe partito subito dopo per tornare a casa.
«Cioè cioè?» fece la perpetua.
Andare lei o peggio ancora il signor prevosto, dentro quel posto dove c'erano appesi i ritratti dei socialisti?
Il Ferrascini tremò.
Se adesso la perpetua gli avesse messo giù la cornetta era bello e fritto.
«Poi volevo comandare sette messe di ricordo», si affrettò ad aggiungere. «A pagamento, s'intende. Ma, se il signor prevosto non ha tempo...»

La perpetua fece la moltiplica, sette per.
Bon.
«D'accordo», rispose.
Tanto mica era obbligata ad attraversare le soglie dell'inferno: bastava mandare un bocia dell'oratorio con un bel biglietto indirizzato allo Stimolo o alla Moribonda e il piacere era fatto.
Mise giù senza pensarci.
«Saluti», disse accorgendosi poi che aveva già riattaccato.

69.

Saluti, baci, abbracci.
Promesse di rivedersi presto.
Chissà!
Il Ferrascini s'era permesso anche una mezza battuta.
«Adesso che sappiamo la strada...»
Strada di merda, soprattutto per quel San Bernardino pieno di curve e tornanti. A proposito del quale la Rosalba aveva espresso ad alta voce la speranza di non vomitare come durante il viaggio d'andata.
Una volta interrato l'Eraldo, tornati a casa, dei tre la più vispa era sembrata proprio la fresca vedova, tutta intenta a preparare una borsa coi vestiti per poi seguire le suore e andare verso un esilio di un po' di giorni che l'avrebbe rimessa in sesto.
Il Ferrascini era teso per la prova di guida che l'attendeva e aveva ricominciato a pensare a buche, gomme e forature. Tra l'altro non aveva più la gomma di scorta.
La Rosalba era preoccupata per le curve e i tornanti.
«Prendi due di queste», aveva consigliato la Fioralba alla sorella.
QUIETAROUTE, prodotto svizzero contro le cenestopatie.
«Mette un po' di sonno», l'aveva anche avvisata.
Alla faccia del sonno!
Non appena usciti da Lucerna, la Rosalba era piombata nel buio.
Il Ferrascini l'aveva chiamata un paio di volte e quella non aveva fatto neanche be'. Allora s'era fatto il se-

gno della croce: adesso che stava affrontando l'ultima tappa dell'avventura elvetica, quando ormai la semifinale del provinciale poteva dirsi salva, quando quasi si sentiva in mano il peso e la levigatezza della prima boccia che avrebbe scagliato, temeva che qualcosa di imprevisto potesse accadere e rovinasse tutto. Con la moglie assente grazie alle pastiglie della sorella eseguì il gesto con lentezza e senza il pensiero di doverle dare preoccupazioni.

Man mano che il viaggio proseguiva, l'Abramo si era sentito sempre più tranquillo, sicuro di sé ed era stato solo dopo un bel po', ancora in territorio svizzero, ma già affrontate le prime curve del San Bernardino, che era successo qualcosa. Alcuni fiocchi di neve avevano cominciato a cadere.

Rari.

Andavano a sfaldarsi contro il parabrezza sciogliendosi all'istante, subito sostituiti da qualche altro. Il Ferrascini aveva smadonnato, vanificando così il vantaggio del segno di croce, e smadonnato ancora quando aveva verificato che il tergicristallo non funzionava. Era stato forse per via di quell'inconveniente, del timore di non riuscire più a vedere un accidente, e del terrore, presente come se fosse un terzo passeggero, di bucare un'altra volta, che aveva cominciato ad avvertire la necessità di pisciare. Aveva continuato a guidare, cercando di deviare altrove il pensiero che invece, con pertinacia, continuava a tornare lì, proponendogli l'immagine della sua vescica che si andava riempiendo fin quasi a scoppiare, quando aveva capito che non ce l'avrebbe fatta a resistere.

I fiocchi di neve erano sempre rari, in cielo si aprivano squarci di sereno. Insomma, il pericolo di andare incontro a una nevicata sembrava scongiurato.

Arrivato a quello che gli era sembrato un falsopiano, il Ferrascini aveva deciso di fermarsi. Era ancora in territorio svizzero, aveva fermato la macchina, era sceso e mentre orinava si era sentito come se tutti i binocoli delle guardie di frontiera lo stessero osservando.

Nel frattempo, la macchina, con la bella addormentata ancora dormiente, aveva cominciato a muoversi.

70.

La perpetua nel frattempo aveva eseguito il compito che il Ferrascini le aveva assegnato.

Il suo progetto però – bocia dell'oratorio spedito con tanto di biglietto come un piccolo portaordini – era svanito.

Il prevosto infatti era rientrato e l'aveva beccata mentre stava compilando il messaggio.

«È la lista della spesa?» aveva chiesto il sacerdote.

Sospettava sempre un po' della sua perpetua quando la vedeva alle prese con attività che non le erano abituali, arrabattarsi con carta e penna per esempio.

«No», aveva risposto quella.

Mai mentire, guai!

Soprattutto davanti al prevosto.

Così aveva dovuto spiegare.

«Ma vi pare?» aveva reagito il sacerdote una volta informato.

Le pareva che fosse una cosa della quale si potesse dar notizia così, come se fosse morto un gatto?

O con una telefonata, come aveva suggerito in alternativa la perpetua, quando tra la canonica e il Circolo dei Lavoratori c'erano sì e no venti metri in linea d'aria? Voleva forse che quelli del Circolo, proprio perché del Circolo, dicessero che la parrocchia trattava i loro morti o quelli della loro cerchia come se fossero persone di serie bi?

Ma soprattutto le pareva che lui potesse temere di varcare la soglia del Circolo dei Lavoratori?

«Ma io dicevo così... per voi...» s'era difesa la perpetua.
Il prevosto aveva abbozzato, comprendeva gli scrupoli della donna e spesso le dava anche ragione ma in faccende come quella la sua parola non si discuteva.
Al massimo, quando si imponeva in virtù della sua incontestabile autorità, a mo' di contentino, le concedeva un piccolo diritto di replica che peraltro non inficiava la sua decisione.
Aveva fatto così anche in quell'occasione.
«Però...» aveva replicato infatti la perpetua.
Quei «però» erano ben noti al sacerdote. Preludevano al necessario sfogo affinché poi la donna si quietasse del tutto e tornasse tranquilla nel suo brodo.
«Però?» l'aveva quindi invitata.
«Capìsi minga», s'era spiegata la donna.
Non capiva cosa c'entrava l'Eraldo col Mario Stimolo e la Moribonda. Non erano mica parenti. E nemmeno c'era parentela tra la Rosalba e la sua sorella e i due del Circolo.
Perché avvisare loro due allora?
«Una ragione ci sarà», aveva concluso il prevosto.
«Sì. E magari col povero Eraldo c'entra niente», aveva chiosato la perpetua tornando poi, visto che l'èra l'ora, alle sue cotolette.

71.

Falsopiano del cazzo!

Falsopiano sì però, e per fortuna!

La macchina era partita ma s'era fermata quasi subito, dopo una ventina di metri, grazie a un avvallamento della strada.

Il Ferrascini non appena l'aveva vista avviarsi era partito di corsa e l'aveva raggiunta dopo pochi secondi che gli erano sembrati secoli.

In verità la macchina si era fatta prendere proprio grazie all'avvallamento dentro il quale si era fermata.

L'Abramo era risalito col respiro corto, smorto, e la patta aperta.

La Rosalba si era risvegliata.

«Dove siamo?» aveva chiesto.

«Niente», aveva risposto lui come se la moglie gli avesse chiesto cosa fosse successo.

«Ho un po' di nausea», aveva comunicato la Rosalba.

Il Ferrascini invece sentiva freddo al pacco.

«Devi vomitare?» aveva chiesto con un tono che aveva chiarito alla Rosalba che sarebbe stato meglio se avesse risposto no.

«Per adesso no», aveva infatti detto.

«Allora andiamo», aveva concluso il Ferrascini riaccendendo il motore.

Cosa, quest'ultima, che aveva stupito la Rosalba.

Tuttavia, per la tranquillità di entrambi, s'era tenuta per sé la curiosità.

72.

Erano le sei di sera, il Mario Stimolo, dopo la clausura, era tornato di nuovo dietro il bancone del Circolo.

Era stata la Moribonda a ricevere la notizia dal signor prevosto e a portargliela all'istante e con un primitivo sorriso agli angoli della bocca. Nonostante fosse anche lei socialista, o almeno credesse di essere tale, in ogni caso votava sempre Psi, la Moribonda rispettava l'abito che il prevosto portava e non aveva voluto sottoporlo al fastidio di parlare con lei lì al bancone, come se fosse un avventore qualunque. L'aveva fatto accomodare in una saletta laterale che il Circolo concedeva per le feste dei battesimi a coloro che non volevano farle all'oratorio e per la Pesa Vegia, il Carnevale, il Primo Maggio. Una volta ci avevano tenuto anche la bara di un operaio del cotonificio che aveva lasciato scritto di non volere il funerale religioso.

Eseguita la missione, al prevosto non era sfuggita una quasi invisibile ruga sulla fronte della Moribonda.

«È quasi un messaggio in codice, vero?» aveva chiesto.

«Come?» aveva ribattuto la Moribonda che aveva capito benissimo.

«Intendo dire, quel povero Eraldo non c'entra niente. O no?»

La Moribonda aveva aspettato un istante prima di rispondere.

«Se vuole la faccio uscire dal retro, così non passa in mezzo a tutti», aveva poi proposto.

«Non c'è peggior sordo di chi non vuol sentire», aveva commentato il prevosto riprendendo la strada di casa e ripassando in mezzo ai tavoli del Circolo.

73.

Una volta ritornato nel suo ambiente il Mario Stimolo riprese il controllo delle operazioni.

Prima di tutto doveva fare una cosa.

Dalla sua plancia di comando guardò tra la folla degli avventori, poi decise.

Per superare la cacofonia delle voci e la cortina di fumo, fischiò e allungò il braccio verso uno.

Era talmente euforico che non si accorse di aver allungato il destro, quello che aveva lasciato sotto la pressa. Solo la Moribonda comprese l'equivoco e sentì di amarlo ancora di più.

«Chi cerchi?» gli chiese.

«Il Ronda», rispose lui.

«Ronda!» gridò la Moribonda.

Alzava la voce talmente di rado che nel Circolo piombò un silenzio esterrefatto.

Il Ronda si impietrì.

Il Mario Stimolo gli fece cenno di avvicinarsi al banco.

«Cosa c'è?» chiese quello.

La preoccupazione gli scese in viso.

D'accordo, era un po' che faceva segnare perché la moglie gli aveva stretto i cordoni della borsa, ma prima o poi pagava, aveva sempre pagato...

«Vola a chiamarmi il Rollini», gli ordinò lo Stimolo senza dargli tempo di pensare ad altro.

Era nervoso il Mario Stimolo, e si vedeva.

La felicità dopo aver appreso che l'Eraldo era morto...

Sì, insomma, quella relativa al fatto che, a causa della tragedia, il Ferrascini non avrebbe ciccato l'appuntamento, si era ottenebrata quasi subito al pensiero che il Rollini, preoccupato per le sue finanze, fosse in qualche modo riuscito a disdire il pullman.

Il Ronda partì al volo.

Si mise di sentinella sul piazzale della stazione. Non entrò al bar perché anche lì aveva un bel conto in sospeso che da mesi attendeva soddisfazione.

Ci volle mezz'ora, poiché il Rollini stava rientrando da un Premana-Bellano in pratica senza viaggiatori, condizione che lo costringeva a pensare con ansia all'altro pullman: se lo sentiva sul groppone, mentre invece nelle orecchie sentiva le ingiurie che la moglie gli avrebbe rivolto quando avrebbe scoperto che il suo stipendio si sarebbe decurtato per qualche mese.

Giunto a Bellano e sceso dalla corriera, il Ronda lo affrontò.

«Ti vuole il Mario Stimolo.»

«Perché?» chiese.

Il Ronda in fondo era una carogna. Si accorse della preoccupazione con la quale l'autista gli aveva fatto la domanda.

Sorrise.

«Te lo dirà lui, va' là», rispose, avendo cura di allontanarsi subito.

74.

La Rosalba aveva visto il marito che si era chiuso la patta e allora si era messa tranquilla, ma comunque, tanto per non correre rischi, aveva fatto finta di riaddormentarsi.

Una volta, mentre salivano in montagna in macchina, aveva tentato quel giochetto: se l'era aperta, le aveva preso la mano e aveva cercato di infilargliela dentro.

Uno schifo!

Dietro le palpebre abbassate, il pensiero degli scarafaggi era tornato.

Quelli dello scrittore, di quel Cafca, del libro che avrebbe sicuramente letto. Ma soprattutto quelli che durante i giorni di assenza da casa avevano avuto l'agio di scorrazzare sopra il suo lavello.

Uno schifo anche loro.

Li vedeva dietro le palpebre abbassate e ne sentiva il rumore quando riusciva a schiacciarli.

Quando l'Abramo le aveva detto che ormai avevano terminato la discesa del passo e di lì a poco sarebbero stati in Italia, alla Rosalba era scappato un mezzo ghigno, non era riuscita a trattenerlo.

«Stai male?» aveva chiesto lui, prendendolo per un singhiozzo.

«No.»

«Se stai male dillo», aveva insistito l'Abramo.

Magari le pastiglie della sorella avevano esaurito l'effetto.

La Rosalba l'aveva rassicurato, non stava male. Stava

solo ripensando, per scacciare il pensiero degli scarafaggi, alle ore appena trascorse, a ciò che aveva visto e sentito, agli odori così diversi dai soliti ma il pensiero era sempre tornato alla sera trascorsa in albergo, alle mele, al sogno che aveva fatto. Al timore che aveva avuto di trovarsi accanto, al risveglio, un marito trasformato in uno scarafaggio gigante.

Invece non era successo niente.

Nessuno, in albergo, s'era accorto che dal cestello mancavano tre mele. Probabilmente capitava ogni giorno e anche quello che aveva gridato contro suo marito l'aveva fatto così, tanto per farlo.

Tutte balle, pure quelle che il prete che li aveva accompagnati aveva raccontato. La sfiorò il pensiero che magari l'aveva fatto apposta, giusto perché loro non capivano un accidente di tedesco. In effetti anche a lei quel pretino aveva dato l'impressione di essere un po' una carognetta. Forse l'avevano in qualche modo obbligato a farsi prete e lui non voleva. E dopo, una volta prete, sposato con Dio, non era più riuscito a venirne fuori. Un po' come lei no? Anche lei s'era trovata incastrata e non aveva più potuto fare niente per...

«Un'oretta e ci siamo», aveva detto a un certo punto il Ferrascini interrompendo i suoi pensieri.

Cinquanta minuti dopo l'Abramo parcheggiava il 1100 sul lungolago.

Un'oretta appunto, proprio come aveva detto lui.

«Visto?» disse, scendendo dalla macchina e stirandosi.

75.

Alla Rosalba disse di andare a casa.
«Io arrivo subito.»
Lei non chiese cosa intendesse fare.
Lo immaginava.
Anzi, lo sapeva.
L'Abramo doveva farsi vedere, far vedere che manteneva la parola.
Lei si avviò e quasi subito rabbrividì. Non era il freddo. Non faceva freddo. La temperatura, per quanto fosse ormai la fine di novembre, non si era ancora adeguata al periodo. Era stato il pensiero del buio che regnava dentro casa, quello che avrebbe trovato, che s'era impadronito di ogni locale per tanti giorni a darle un brivido. Il buio e gli scarafaggi che del buio approfittavano per andarsene in giro.
L'Abramo invece, fischiettando l'ormai consueta variazione del *Carnevale di Venezia*, s'era avviato alla volta del Circolo dei Lavoratori. Sotto la volta che portava all'ingresso incrociò il Rollini che usciva.
Lo salutò.
«Ue', ciao», gli rispose quello ma senza riconoscerlo.
Un po' il buio.
Soprattutto i brindisi.
Tra le sette e mezza, ora in cui s'era presentato al cospetto del Mario Stimolo, e le nove, ora in cui, accompagnato alla porta del Circolo dalla Moribonda in persona incrociò il Ferrascini, il Rollini aveva buttato giù una

quantità notevole di bicchieri di vino. Tutta roba gratis, aveva offerto il Mario Stimolo, fino a quando un'occhiata della Moribonda gli aveva fatto capire che era ora di smetterla.

A casa, in quello stato, lo aspettavano musi e legnate. Ma meglio così piuttosto che dover spiegare perché gli toccava pagare di tasca sua il noleggio di un pullman.

Anche il Mario Stimolo, contro le sue abitudini, aveva ingoiato svariati bicchieri di vino.

All'ingresso del Ferrascini, che si fermò sulla porta come se stesse recitando, la Moribonda guardò il marito.

«Te basta vino eh!»

Poi, rivolgendosi al Ferrascini:

«Meno male», disse.

76.

Il raduno dei partecipanti alla trasferta era stato fissato per le sei in piazza Grossi, giusto per riuscire a partire alle sei e trenta.

Per l'occasione il bar dell'Imbarcadero, che non apriva mai prima delle otto del mattino, era già in attività. I primi due caffè, quasi velenosi tant'erano cattivi, li bevvero il Mario Stimolo e il Ferrascini, arrivati in piazza a pochi secondi di distanza uno dall'altro. Prima ancora del Rollini col pullman, che aveva dovuto faticare a uscire dalla rimessa delle Autolinee perché gli era toccato spostare e poi rimettere al coperto due altri mezzi parcheggiati a caso.

Erano le sei e dieci minuti e all'arrivo del pullman c'era già una piccola folla addensatasi attorno al bancone del bar.

A una prima occhiata il Rollini notò subito qualcosa di strano ma tacque. Aveva capito però quello che alcuni stavano tramando e si predispose ad agire. Di furbizia però, senza litigi. Salutò quindi, bevve un caffè al volo poi tornò al suo mezzo.

Quando, dieci minuti più tardi, disse che potevano cominciare le operazioni di carico, aveva in mano una lista: nomi e cognomi dei prenotati che si dovevano presentare con tanto di dindini in mano se volevano salire.

Lo disse ad alta voce e guardando fisso in viso i due fuori quota che aveva notato poco prima.

«Non voglio guai. Io con la patente ci lavoro. Il pullman ne porta cinquanta e cinquanta devono essere.»

Mentre urlava ne erano arrivati altri cinque o sei. Tutti avevano piegato la mimica facciale a un'espressione che reclamava comprensione, pietà.

Il Rollini, inflessibile.

«Non mi interessa», replicò.

Non era il caso di essere buono o cattivo. C'era il caso che lo potessero fermare i carabinieri o la polizia.

Chi ci sarebbe andato di mezzo se fosse successo?

Uno solo.

«Cioè io.»

«E pagando?» salì una voce dal gruppo dei fuori quota che si era andato ancora ingrossando.

«Pagando», chiese il Rollini, «in che senso?»

Nell'unico senso possibile.

Cacciando ciascuno qualcosa.

Il Rollini ragionò.

«E quanti siete?»

Una quindicina.

L'autista fece i conti, quindici per...

Quindici per qualcosa, veniva fuori un extra che gli fece subito gola, soprattutto riflettendo che l'avrebbe intascato senza dire niente a sua moglie.

Diede uno sguardo al Mario Stimolo come per averne un parere. Quello gliene ritornò uno che più chiaro non poteva essere: non erano cazzi suoi, decidesse lui.

D'accordo, mormorò tra sé l'autista.

Fece la raccolta e intascò i soldi. In fin dei conti era un lavoro straordinario.

«Prima i regolari», disse poi, avviando le procedure di carico.

I fuori quota vennero avvisati di sistemarsi sul corridoio.

«E lasciate in pace il Ferrascini!»

L'Abramo era seduto sul fondo del pullman, accanto al Mario Stimolo, silenzioso come un eroe prima di scendere in duello.

Aveva la sua arma prediletta tra le mani.
«Tienila calda e dille di far giudizio», gli buttò lì uno vedendo come accarezzava la boccia, passandosela di mano in mano, col gesto che faceva poco prima di lanciarla.
Il Ferrascini non rispose.
Il pullman partì alle sette e pochi minuti, portava sessantotto passeggeri anziché i cinquanta consentiti.
Si lasciava alle spalle un paese perlopiù ancora addormentato e un'alba che solo poco più tardi assunse colori lirici, quando ormai il catarroso motore del pullman non si sentiva più.

77.

La Rosalba si alzò alle otto.

Aveva passato l'intera giornata di sabato con l'idea fissa degli scarafaggi che avevano circolato in lungo e in largo durante i giorni della sua assenza. Pensava di trovarne qualcuno la mattina, invece niente. Così domenica si era messa in testa di alzarsi presto con l'idea di sorprenderli.

Ma si alzò alle otto perché l'Abramo si era alzato prima di lei, ancora a buio, più o meno alle cinque.

Forse di scarafaggi non ne aveva visti neanche lui.

Allegro, fischiettava.

Del povero Eraldo si era già dimenticato, se mai ci aveva pensato.

Niente di meglio per farlo tornare in mente a lei, più vivo che mai.

Aveva cacciato la testa sotto le lenzuola per sottrarsi ai rumori del marito che aveva scorrazzato tra la camera, la cucina e il cesso sul ballatoio proprio come uno di quegli animaletti schifosi. E il pensiero di quelli, il pensiero del libro che doveva cercare in biblioteca per leggere che fine aveva fatto l'uomo diventato uno scarafaggio, aveva ripreso possesso della sua mente, cacciando via anche l'immagine dell'Eraldo quand'era vivo, dei suoi modi gentili, delle sue belle mani da cameriere, dei suoi baci...

Anche il tormento che se le cose fossero andate in un altro modo avrebbe potuto esserci lei al posto di sua sorella adesso.

Vedova, d'accordo.
Ma dell'Eraldo.
L'Abramo l'aveva salutata dalla porta della camera.
«Vado, ci vediamo stasera.»
Lei aveva finto di dormire.
Poi si era addormentata per davvero e si era alzata alle otto, il tempo era grigio, l'alba lirica cancellata dalla nuvolaglia, l'aria della casa sapeva di chiuso.
Non aveva voglia di niente.
Era domenica, e non aveva nemmeno voglia di uscire per la messa.

78.

Il Mario Stimolo stava pensando che se tutto andava come doveva, cioè la coppia Rodigatti-Ferrascini avesse vinto il titolo provinciale, bisognava che la bocciofila bellanese si dotasse di un campo di gara regolamentare.

Lo sport delle bocce deve essere praticato su terreno piano, diviso in corsie regolari delimitate da sponde laterali fisse in legno o altro materiale non metallico...

Le corsie possono avere una lunghezza tra i ventiquattro metri e cinquanta e i ventotto e una larghezza tra i tre metri e ottanta e i quattro...

Le sapeva lui le cose!

Le sapeva eccome!

Ci volevano soldi, è vero.

Ma davanti a un evento del genere il consiglio avrebbe dovuto rendersi conto che non si trattava più solo di ospitare quattro vecchi alla domenica pomeriggio, ma di entrare nel giro che contava. Magari anche il Comune avrebbe potuto dare un contributo.

Poi, una volta pronto il campo, ci sarebbe voluta una bella festa col sindaco con la fascia e anche il prevosto per benedire, perché a quei livelli lì non bisognava tenere conto di Circolo e oratorio.

C'era la gloria del paese in ballo!

Lo strappò dalla fantasia, nella quale tutti applaudivano, anche lui, e con il braccio destro ancora attaccato, una brusca frenata del Rollini.

Erano appena fuori Lecco, c'era giù un po' di nebbia.

«Cosa c'è?» saltò su una voce.
«Boh», rispose il Rollini.
Ma erano fermi.
C'era una macchina, una giardinetta, davanti al pullman, ferma anche lei.
«Scendo a vedere», disse l'autista.
Due, tre minuti e lo Stimolo si mosse.
Erano le sette e mezza, tempo ce n'era, ma si sapeva mai.
«Vado a dare un'occhiata», disse al Ferrascini.
L'Abramo rispose con un cenno del capo, la boccia che continuava a passare da una mano all'altra.

79.

La perpetua la stava curando dalla finestra della cucina.
Aveva l'elenco delle messe nel scosàa.
Sette, come le aveva detto il Ferrascini per telefono.
Sette messe, una al mese, per la salvezza dell'anima del povero Eraldo.
Al sentirglielo dire il signor prevosto si era meravigliato.
«Ma siete sicura che ne ha chieste proprio sette?»
«Vedè ghe vèdi pòc ma sentì ghe senti bèn», aveva sentenziato lei.
Che peraltro s'era meravigliata pure lei per parte sua sentendo quella richiesta uscire dalle labbra di uno che era allergico al fumo delle candele come il Ferrascini.
Forse era stata la Rosalba a imbeccarlo.
Sul numero delle messe però non aveva avuto dubbi: sette gli aveva detto e sette erano belle e pronte lì.
Quindi:
«Oi, sciòra Ferrascini!» gridò quando vide spuntare dall'angolo basso della piazza la Rosalba che si avviava stanca verso la chiesa.
Non aveva proprio voglia la Rosalba di andare a messa ma se l'era fatta venire.
Era peccato andare a messa senza averne la voglia, l'intenzione, ma così per pura abitudine?
Per cercare di venire a capo di quel dubbio era rimasta un bel po' seduta in cucina, a guardare la tazza nella quale giaceva un fondo di latte e le era parso di capire che, se non fosse uscita per andare a messa, le sarebbe tocca-

to starsene lì in casa, sola e in silenzio con l'unica distrazione di quella giornata umida e grigia che avrebbe guardato di tanto in tanto dalla finestra, in attesa che l'Abramo tornasse o che il pensiero la spingesse sottoterra a far compagnia al povero Eraldo.

A deciderla era stato proprio il pensiero del defunto e quello della sorella nei confronti della quale aveva avvertito un filo di invidia: il suo incontestabile stato vedovile le permetteva, le imponeva anzi, di comportarsi come tale.

Là dov'era andata per stare qualche giorno, in mezzo alla suore, poteva piangere tutte le lacrime che voleva, saltare tutti i pranzi e le cene che le pareva, giustificandosi col dolore della perdita e forse addirittura ammirata, compassionata in ciò.

Ma anche lei si sentiva, pur se solo in parte, vedova.

Vedova dell'idea di commettere qualunque tipo di peccato perché l'Eraldo, purtroppo, poveretto, era morto.

Così aveva deciso di uscire per andare a messa e dedicare all'anima del cognato il pensiero e le preghiere, da quel giorno e fino a quando il dolore della perdita si sarebbe composto divenendo malinconico ricordo.

Il cielo aveva lo stesso colore di quello verso il quale aveva rivolto lo sguardo sino a poche ore prima, su in Svizzera, l'aria un sapore senza orario come se fosse diventato inutile suddividere le settimane in giorni e dare loro un nome.

Alla Rosalba pareva di camminare dentro un paese che nel giro di pochi giorni aveva perduto le ragioni di esistere, quando, sbucata in piazza della chiesa, quel grido come di gazza sorpresa a rubare l'aveva richiamata con violenza alla realtà.

«Oi, sciòra Ferrascini!»

80.

Il pullman ripartì, il mistero risolto.

Un tamponamento.

«Una seicento contro un'altra», aveva comunicato il Rollini.

«Milleduecento!» aveva gridato in risposta uno, scatenando le risate di quasi tutti i passeggeri.

«Che cazzo ridete!» aveva reagito l'autista.

Sul luogo dell'incidente c'erano già i carabinieri. Bisognava stare zitti e buoni. Ci mancava solo che lo fermassero per un controllo e allora sì che ci sarebbe stato da ridere.

«Voi, giù!» aveva ordinato ai fuori quota.

Giù seduti, nel corridoio, zitti e schisci. E gli altri che facessero finta di essere passeggeri normali, quelli che dormono e che guardano annoiati fuori dal finestrino. Solo dopo era ripartito, prima seconda e terza, non di più, perché prima di tutto c'era la nebbia ma anche non aveva ben presente la strada e temeva di sbagliare qualche curva o di non vedere qualche cartello, finendo chissà dove: dappertutto forse, tranne che a Cermenate. Nel qual caso il Mario Stimolo gli avrebbe staccato la testa anche se aveva solo un braccio.

In ogni caso, a scanso di equivoci, il gestore del Circolo era andato a sederglisi accanto, lasciando il Ferrascini nella solitudine di chi stava preparando la battaglia.

Silenzioso, lo Stimolo, con l'occhio vigile, uno sulla strada, l'altro a controllare i movimenti dell'autista, se seguisse per bene le indicazioni dei cartelli per Cermenate.

In genere al Rollini giravano i coglioni quando qualcuno gli si sedeva vicino per vedere come guidava o per dargli consigli.

All'autista non bisognava parlare, o no?

Lo diceva anche un avviso che era ben in vista.

Ma la presenza del Mario Stimolo quella mattina non gli diede noia, anzi.

Era lì per aiutarlo a non sbagliare strada, bene così. Così, se per caso finiva chissà dove, la colpa non potevano darla tutta e solo a lui.

Ma ormai di sbagliare non c'era più la possibilità.

«Cer-me-na-te!» sillabò il Rollini vedendo il cartello che annunciava l'ingresso in paese.

Il Ferrascini fermò per un momento il movimento delle mani.

Il Rollini scalò una marcia, terza, seconda.

Il Mario Stimolo deglutì.

Un paio dissero che era ora perché gli scappava di pisciare.

81.

La perpetua era vestita di nero e così com'era, inquadrata nella finestra della cucina, sembrava il ritratto di una santa martire, di quelle che i torturatori, prima di finirla, avevano fatto penare un bel po'.

La Rosalba invece sembrava che portasse una gerla sulle spalle per come camminava curva in avanti. Era il peso di quella giornata grigia, della fatica che aveva fatto a vestirsi e a convincersi a uscire da casa più quello del dolore per la morte del povero Eraldo che da vivo non le era mai mancato così tanto come adesso che invece non c'era più. Infine si era aggiunto il rimorso per non aver confessato in tempo a sé stessa di essere innamorata di quell'uomo, e di confessarlo a lui soprattutto, che forse era stato nella sua stessa condizione.

Sarebbe bastato un niente e le cose sarebbero andate diversamente.

Sarebbero andate diversamente?

Forse, chissà!

Adesso comunque era tardi, per tutto.

Al richiamo della perpetua e per una frazione di secondo la Rosalba, immersa nella parte di vedova immaginaria del cognato, stentò a rispondere. Poi non poté esimersi dal ricordare il suo stato civile.

«Go chì i mèss», rispose la perpetua allo sguardo interrogativo della Rosalba sventolando il foglietto su cui aveva annotato date e orari concordati col signor prevosto.

La Rosalba non fece caso al plurale, forse nemmeno capì quello che la perpetua gli aveva detto.

Aveva dentro un magone che sentiva di dover sfogare con le lacrime. Rifugiarsi in chiesa, quando mancava ancora una mezz'ora alla messa, le era sembrata l'unica soluzione. Piazzarsi negli ultimi banchi, inginocchiarsi, nascondere il viso tra le mani e piangere senza farsi notare, così da non dover spiegare alla perpetua o a chiunque altro le ragioni di un dolore che solo lei e nessun altro era in grado di capire.

82.

Biciclette soprattutto, e moto.

Anche macchine.

Addirittura un motocarro.

Tutti messi a cazzo. Parcheggiati lì dove capitava. Come se nessuno avesse pensato che da Bellano sarebbe arrivato un pullman carico carico di...

...di gente che doveva innanzitutto pisciare nel momento in cui il Rollini fece il suo ingresso nel piazzale di lato all'edificio che ospitava la bocciofila cermenatese, sede dell'incontro.

Si fermò per farsi un'idea della situazione.

«Quelli che devono pisciare...» disse, a motore ancora acceso.

Quelli, scendessero per primi, svuotassero il merlo e poi andassero a spostare bici e moto in modo da creare lo spazio sufficiente per poter parcheggiare il pullman.

Gli altri potevano pure stare su o scendere, facessero come gli pareva. I fuori quota scesero tutti per primi, chi per pisciare, chi perché era stufo di stare seduto e scomodo sul fondo duro del corridoio. Anche tra i regolari la maggior parte preferì scendere per sgranchirsi un po' le gambe.

Il Ferrascini stette, il Mario Stimolo no.

«Ti scappa?» chiese l'Abramo vedendo che si alzava.

«No.»

Ma aveva fretta di entrare, vedere, annusare l'aria, trovare il Rodigatti, percepire l'ambiente. Smetterla di grattarsi il moncherino per l'agitazione.

«Ci vediamo dentro», disse.

Il Ferrascini rispose facendo ballare la boccia su una mano.

83.

Ossignur, giamò vìnt ai dès!

La perpetua ebbe un tremito.

Il tempo vola, la vita è un lampo.

Si staccò dalla finestra della cucina guardando la figura ingobbita della Rosalba che varcava il portone della prepositurale. Facile che non avesse capito ciò che le aveva gridato, che aveva lì bello e pronto l'elenco delle messe ordinate per telefono.

Quando quella, per tutta risposta, l'aveva solo guardata e poi aveva ripreso il passo, le era venuta la tentazione di uscire per andarle incontro. Poi però s'era accorta che non aveva tempo da perdere, era tardi.

L'èra ormai ora de la mèsa, e lei aveva ancora su el scosàa negro, quello che usava in cucina e poi doveva darsi anche una pettinata.

Meno male che aveva già preparato il pranzo: costine, già salate, allineate nella teglia che doveva solo infilare nel forno.

Le mele, quelle con lo zucchero per il desèrt, poteva prepararle anche dopo, mentre le costine cuocevano.

Salì nella sua camera per prepararsi.

Un quarto alle dieci, e il pècen dov'era?

84.

«Il socio dov'è?» chiese il Rodigatti.

Aveva la solita faccia del menefrego, patti chiari amicizia lunga: se per qualunque ragione il Ferrascini non si fosse presentato lui i soldi li voleva comunque.

«Tranquillo, sta arrivando», rispose il Mario Stimolo e si girò verso l'ingresso del palazzetto sicuro di vederlo entrare.

Invece no.

Questione di poco però.

Il Rodigatti era in piedi, silenzioso, guardava il campo di gara. Il Mario Stimolo, appena dietro, ne percepiva l'assoluta tranquillità mentre in lui stava cominciando a montare un po' di ansia.

Si girò un paio di volte, forse tre, guardando l'ingresso, con la certezza di veder comparire l'Abramo.

Niente ancora.

Si obbligò a stare fermo dov'era.

Il Rodigatti a un certo punto cominciò ad aprire e chiudere le mani, scaldava i muscoli.

E il Ferrascini?

Possibile che fosse ancora sul pullman?

Dove cazzo era?, mormorò tra sé il Mario Stimolo.

Fu lo sguardo del Rodigatti a deciderlo che doveva prendere l'iniziativa. Il solito sguardo privo di qualunque preoccupazione o tensione agonistica: girò appena la testa verso di lui, nemmeno un giro completo.

Ormai mancava un quarto d'ora alle dieci, se l'Abramo voleva sciogliere i muscoli e prendere visione del campo era tempo che si facesse vivo. Gli altri, quasi tutti, piscioni e no, erano già entrati nella struttura che ospitava la bocciofila cermenatese, già a fare roccolo davanti al baretto, più vino che caffè.

Il gestore del Circolo non disse niente, si avviò verso quelli che stavano al bar.

«Dov'è?» chiese a uno.

Inutile specificare chi cercasse.

«Magari è al cesso», fu la risposta.

85.

Chi cerca trova.

Sdentato quasi come lei, il pècen era appoggiato sul davanzale della finestra.

Mai che fosse al suo posto, borbottò fra sé la perpetua, manco fosse colpa del pècen e non sua che si pettinava quando e dove capitava e poi lo piantava lì.

Voleva dire che l'ultima volta che l'aveva fatto si era messa davanti alla finestra della sua camera pettinandosi mentre ammirava le bellezze del creato.

Lo afferrò con rabbia e se lo piantò nella chioma che, nonostante l'età, era ancora bella nera e folta, dura di capelli dall'anima un po' grossa.

Tirava di qua e di là, accompagnando ogni movimento con degli «Ahi, ahi!», come se fosse un'altra persona a pettinarla. D'altronde c'erano i nodi, cara la mia perpetua!, o sennò poteva risolvere il problema tagliandosi i capelli come una suora di clausura e andare in giro con la sua bella cuffia in testa.

Il campanile suonò il terzo.

Dès ai dès!

La perpetua stava ancora litigando con un nodo.

Tirò più che poteva, strappandosi una ciocca di capelli.

Poi prese il pècen, lo depose sul comodino e scese di sotto, pronta per la messa.

86.

Sul pullman, solo soletto, mentre il Rollini manovrava per parcheggiare il mezzo.

L'autista non s'era accorto che il Ferrascini era rimasto lì mentre tutti gli altri erano già scesi.

Lo vide quando, raddrizzato il muso verso un prato giallomarrone, girò la testa indietro per procedere alla retromarcia. E quasi gli venne un mezzo colpetto perché il Ferrascini gli era arrivato alle spalle quatto quatto, come un asasìn di certi cinema, e con la boccia in mano, che per essere una bella arma del delitto non le mancava niente.

«Ostia, Abramo!» sbottò il Rollini.

«Ostia cus'è?»

«E, insomma...»

Comparire così!

«Ma fammi scendere, va'.»

«Adesso?»

«No, alla prossima», scherzò il Ferrascini.

Il Rollini pigiò un piede sulla frizione, l'altro sul freno: la piazzola di parcheggio, oltre che essere uno sterrato sconnesso, era anche in lieve pendio. Così girato all'indietro, e stante la pendenza, riusciva appena a vedere il filo superiore di un muretto oltre il quale si apriva un campo arato, scuro di terra.

Il Ferrascini aprì la portiera e scese il paio di gradini.

Un piede già a terra, uno ancora sul pullman.

«In bocca al lupo eh!» disse il Rollini.

E mentre faceva il movimento di allungarsi verso il destinatario dell'augurio il piede, quello che pigiava la frizione, gli scivolò.

Il Ferrascini stava per rispondere, «Crepi!», quando lo scossone del pullman gli fece quasi perdere l'equilibrio. Riuscì a stare in piedi andando a sbattere contro la portiera, aiutandosi, per non picchiare il musone, con entrambe le mani.

La boccia cadde, si infilò sotto il pullman.

«Ma cosa cazzo fai!» sbraitò l'Abramo subito dopo.

Il Rollini aveva spento il motore e tirato il freno a mano.

«Scusa», disse.

«Scusa un cazzo», ribatté il Ferrascini guardando per terra.

La boccia dov'era?

87.

Chissà dov'erano finite le note del terzo che chiamava i poltroni e i renitenti alla messa grande!

La perpetua non era né una perditempo né, men che meno, una renitente, eppure non riusciva mai a entrare con comodo in chiesa.

Sèmper de corsa, sèmper col fiàa cùrt!

Il fatto è che nessuno lo sapeva, anzi, la maggior parte della gente pensava che quella della perpetua fosse una vita di tutto comodo... servì el sciòr prevòst... fàc su bèl a la gènt...

Proprio così!

La maggior parte della gente pensava che vivere con un prete fosse come vivere con un santo del calendario, uno che non mangiava, non beveva e non sporcava i pavimenti...

Invece anche i preti facevano la pipì, e tutto il resto! E lei tante volte, come quella domenica, avrebbe volentieri fatto il cambio con qualcuna di quelle, e ne conosceva tante!, che si lamentavano di avere un marito e qualche figlio.

Provassero un po' cosa voleva dire star dietro a una specie di marito com'era in un certo senso il prevosto per lei e a tutta una casa da tenere sempre linda e ordinata, lustra come se fosse un'appendice della chiesa!

Da che era a servizio del sciòr prevòst, la perpetua non aveva mai perso una messa grande, e non l'avrebbe persa nemmeno quella domenica, pur arrivando al pelo.

Di buono c'era che aveva il suo posto fisso, come se fosse riservato: primo banco della fila di destra rispetto al Santissimo Sacramento. E che sembrava, ma era solo una sua impressione che non aveva mai osato confessare a nessuno, che il sciòr prevòst non cominciasse mai la messa sino a quando non la vedeva seduta comoda e col libro delle preghiere aperto in mano: una cosa che se l'avessero saputa certe betòneghe che lei conosceva fin troppo bene...

Si infilò il cappotto della festa, quello nero, col collo di coniglio.

Poi aprì la porta della canonica sulla piazza vuota di gente e partì di fretta perché non voleva correre il rischio di perdere, la prima volta nella vita, l'inizio della messa.

88.

Le partite di coppia o terna non possono avere inizio se al momento della chiamata in campo una delle formazioni, o entrambe, sono incomplete.

Le formazioni incomplete devono essere escluse immediatamente dalla gara.

Il provvedimento può essere preso dall'Arbitro di impianto, dal Commissario di campo, dal Direttore di gara o dal Direttore dell'incontro, ed è DEFINITIVO.

«Lo so anch'io», ringhiò il Mario Stimolo in risposta all'osservazione che il Rodigatti gli fece visto che mancavano un paio di minuti alle dieci e del Ferrascini ancora nemmeno l'ombra.

Al cesso non c'era, era appena andato a controllare.

«È il regolamento», affermò il Rodigatti non senza un certo compiacimento.

Citato a memoria!

Il Mario Stimolo non l'avrebbe mai detto che il Rodigatti fosse così intelligente, preparato.

Comunque aveva ragione.

Se quel coglione del Ferrascini non si sbrigava a presentarsi, il rischio era che arbitro, commissario, direttore o quel cazzo che era, squalificasse la coppia e addio fichi!

Tornò a guardarsi in giro, casomai ne vedesse la testa di cazzo aggirarsi all'interno del bocciodromo.

Possibile che fosse sparito?, si chiese.

Cosa diavolo aveva nel crapone?

89.

Il Ferrascini stava cercando la boccia che gli era scappata di mano.

L'aveva persa di vista nel tentativo, riuscito, di non andare a sbattere la faccia contro la portiera del pullman.

Una volta sceso s'era guardato in giro, senza vederla.

Aveva fatto due passi, s'era messo davanti al muso del pullman, guardato di nuovo ma della boccia non c'era nessuna traccia.

Doveva essere rotolata da qualche parte.

Il Rollini aveva dato un colpetto di clacson, saluto e augurio insieme. Poi s'era messo d'impegno a inserire la retro grattando, cracracrac, due, tre, quattro volte, cazzo di retro che non entrava mai al primo colpo!, mentre il Ferrascini s'era spostato di lato, notando solo allora la pendenza del terreno.

Facile che la boccia, anziché in avanti dove l'aveva cercata fino ad allora, fosse andata indietro.

Il Rollini era un po' sudato.

Temeva che tutto quel craccare nel tentativo di inserire la marcia indietro richiamasse qualche spiritoso sul piazzale, e non era il momento.

Allora spense il motore e con delicatezza cercò nuovamente di convincere la leva del cambio a ubbidirgli.

Entrò, l'autista accese di nuovo il motore ma con un piccolo scatto, come se avesse un conto in sospeso con lui, la leva del cambio tornò alla posizione di folle.

Il Ferrascini aveva appena guardato sotto il pullman, e l'aveva vista.

La boccia era lì, si era andata a fermare tra le ruote posteriori, equidistante dall'una e dall'altra.

Sdraiato per metà sotto il pullman, stava allungando una mano per prenderla.

«Oh!» disse quando sentì ripartire il motore.

Gli rispose l'ennesimo crac.

Il Rollini aveva dato il colpo fatale alla leva del cambio, la retro era finalmente innestata.

Guardò all'indietro per calcolare la distanza che lo separava dal muretto. Il Ferrascini, ancora sotto il pullman, capì che l'autista stava per avviarsi.

Gridò strisciando nel contempo all'indietro, il viso rivolto allo pneumatico che cominciò la sua corsa lenta.

Il Rollini aveva lasciato andare del tutto la frizione, il muretto era quasi scomparso alla sua vista quando il pullman ebbe uno scatto brusco all'indietro, un sobbalzo, come se fosse passato sopra un sasso o un piccolo dosso.

«Cristo!» sbottò il Rollini.

Ci mancava di aver picchiato contro il muretto, di aver imbottato il pullman: quella zecca del ragioniere glielo avrebbe fatto pagare come nuovo.

Mise subito la prima, avanzò di un metro e poi scese per dare un'occhiata.

90.

Un'occhiata appena entrata in chiesa e le orecchie all'erta.

Il suo posto era libero come al solito, la perpetua ne fu contenta perché si sapeva mai. Mica c'era su il nome, chiunque ci si poteva sedere.

E il prevosto non aveva ancora iniziato la messa, stava uscendo adesso dalla sagrestia coi chierichetti.

La perpetua si fermò di lato al fonte battesimale, giusto qualche secondo per recuperare il fiato e adeguare il passo alla solennità che una del suo stato doveva mostrare entrando in chiesa.

Passo lento per questione di dignità ma anche per permettere al suo sguardo di fare una specie di appello dei presenti. Certo non li poteva contare tutti ma, com'è come non è, non le sfuggiva mai la presenza di qualcuno che con il fumo delle candele aveva più di un conflitto: in quel caso, facile immaginare che non fosse lì perché colpito da una improvvisa folgorazione. C'era qualcosa sotto, una grazia da chiedere, un favore da ottenere, quel genere di cose che alla fine, di rif o di ràf, finivano in canonica. Così come non le sfuggivano le assenze, fatto che alla sua curiosità poneva domande di altro genere: malattie, dispiaceri, disgrazie, cosa aveva tenuto lontano dalla messa grande questa o quella donna o uomo che fosse?

Avanzando piano verso il posto che il destino le riservava, la perpetua non notò niente di particolare. Prese visione della posizione solitaria, e piuttosto dentro gli ultimi banchi della fila, dove s'era sistemata la Rosalba e raggiunse la sua postazione nel momento in cui il signor prevosto allargava le braccia per dare avvio alla messa.

91.

Un'occhiata al Mario Stimolo e due colpetti di unghia al vetro dell'orologio che portava al polso destro.

Il gestore del Circolo capì al volo il messaggio dell'arbitro di gara: ormai era ora, non erano mica lì per aspettare la venuta del Messia...

Tuttavia restò per un momento incantato a guardarlo. Non proprio lui, il suo naso. Singolare, triangolare. Gli venne fatto di pensare al compasso con il quale i giudici misuravano le distanze tra le bocce e il pallino quando a decidere erano i centimetri o addirittura i millimetri.

L'arbitro, che si fosse accorto o meno dell'attenzione che il suo naso aveva attirato, non vi diede peso.

Non c'era più tempo per aspettare, ripeté il gesto.

Dov'era il secondo della coppia?

Il Rodigatti era tornato a stare fermo immobile davanti al campo di gara, sembrava una statua, avulso dal casino circostante, tanto i soldi li aveva già in tasca.

«Vado e torno», disse il Mario Stimolo mentre la coppia avversaria si stava avvicinando all'arbitro, voleva chiarimenti.

Sotto la volta del bocciodromo si radunavano tutte le voci e i rumori che nascevano dal basso, chiacchiere, risate, grida, lo schiocco delle bocce di chi si stava allenando, il fischio della macchina per il caffè.

Appena fatto un passo fuori, il Mario Stimolo sentì il silenzio dell'angolo desolato d'autunno dove sorgeva la struttura.

Silenzio giallo e marrone, e nero di terra appena arata.
Poi vide il pullman.
La portiera, lato autista, aperta.
Il Rollini, di schiena, in piedi, il capo chino, all'altezza del treno posteriore.
Che cazzo faceva, forse aveva bucato...
Si avvicinò, poi vide un paio di gambe aperte a vu spuntare da sotto il pullman.
Alzò gli occhi sulla schiena del Rollini.
Poi, come se non credesse a quello che aveva appena visto, li levò verso il cielo mentre un volo di corvi dell'inverno si alzava dal campo di terra scura.

92.

Il prevosto aveva fatto una bella predica.

Aveva parlato del paradiso e dell'inferno, di come si stava bene da una parte e male dall'altra.

Bravo prevòst, aveva pensato la perpetua uscendo dalla chiesa, subito dopo l'Ite missa est.

Gliel'avrebbe ripetuto anche più tardi, a tavola, aggiungendo il doveroso «sciòr» perché, se non gli diceva niente, lui glielo chiedeva.

«Non vi è piaciuta l'omelia?»

L'omelia aveva fatto piangere ancora un po' la Rosalba, soprattutto quando il sacerdote aveva parlato delle anime belle che abitavano le sfere celesti a contatto con il Padreterno e del dovere di ciascun cristiano di comportarsi rettamente se voleva sperare di ricongiungersi a loro.

Eccolo lì il guaio!

Perché la Rosalba non era sicura di essere una buona cristiana da un po' di giorni a quella parte, con il pensiero continuo dell'Eraldo invece di quello del legittimo marito e dell'amore che non era stato: fosse così, c'era il rischio di non poterlo rivedere nemmeno nell'aldilà.

All'Ite missa est pure lei uscì subito, ancora più gobba di quando era entrata in chiesa, il viso chino, il mento che toccava lo sterno, volendo evitare che chiunque la vedesse e le chiedesse qualcosa notando gli occhi rossi, il volto marezzato.

Chiunque.

Ma non aveva fatto i conti con la perpetua e el sò calendàri di mèss.
Sèt, sette, mica uno scherzo.
La vide che sgambettava verso casa, ormai all'altezza della canonica, quasi sul punto di sfuggirle.
Allora:
«Oi, sciòra Ferrascini!» la richiamò.
Aveva forse gridato un po' troppo?
Diede una rapida occhiata in giro per vedere se qualcuno la stesse guardando male.
D'altronde, sette messe...
Al grido la Rosalba si fermò all'istante come se le fosse arrivato dall'alto dei cieli.
La perpetua le fu subito al fianco, non le sfuggì il viso tormentato della Ferrascini.
«O poarèta, ma se gh'è?» chiese con voce intinta nell'olio.
Prevedibile la risposta della Rosalba.
«Ma niente...»
Altrettanto la replica della perpetua.
«Su, su!»
Intanto aveva infilato un braccio sotto quello della Ferrascini e la stava accompagnando verso la canonica, verso le costine da mettere in forno, le mele da preparare, le sette messe da consegnare e da riscuotere.

93.

E adesso?

Era quello che da qualche minuto stava pensando il Rollini, da quando era sceso dal pullman per andare a vedere di non averlo imbottato e s'era invece trovato sotto gli occhi quello spettacolo: le gambe a vu del Ferrascini che spuntavano da sotto il mezzo e un filo rosso che lentamente si era fatto largo tra la terra del parcheggio e ormai gli stava lambendo la punta delle scarpe.

Il Mario Stimolo si stava grattando il moncherino.

Si stava chiedendo cosa diavolo fosse successo, cosa diavolo ci facesse il Ferrascini sotto il pullman, pensava al viso della Moribonda, ebbe una lontana, fugace visione di quel pomeriggio al crotto, pensò anche che non mancava molto a Natale, guardò per un momento il volo dei corvi e cercò di contare quanti fossero, sei, sette?

Ma era tutta una confusione di pensieri, tutto uno stare lì fermo a guardare, ma come se fosse al cinema.

«E adesso?» disse poi.

Ad alta voce, così che il Rollini si riscosse e si girò a guardarlo.

94.

«Adesso stia lì bella tranquilla che ci faccio un bel cafè», disse la perpetua.

D'altronde non poteva mandar via la Rosalba in quello stato. E poi era anche un po' curiosa.

Una volta dentro, in cucina, e dopo averle illustrato le sette messe, una al mese a partire da gennaio, la Ferrascini aveva detto che non aveva con sé i soldi per pagare subito e poi s'era messa a piangere.

Ossignùr, a pagare e a morire c'era sempre tempo!, l'aveva consolata la perpetua senza un gran tatto.

Anche se, a suo parere, era comunque meglio pagare per tempo perché a morire era un attimo, incò ghe sèm, domàn chisà!, insisté.

Ma non era per quello che la Rosalba aveva di nuovo aperto il rubinetto.

«Ah no?» aveva chiesto la perpetua.

E la Rosalba, allora, giù un'altra bugia che l'avrebbe allontanata ancora di più dal regno dei cieli.

Mica poteva dirlo alla perpetua che quelle lacrime erano per il povero Eraldo, per un amore che non c'era mai stato e che non sarebbe stato mai più, quasi di sicuro nemmeno nell'aldilà.

Macché, era per sua sorella Fioralba che caragnava.

Sola là in Svizzera, senza nessuno che l'aiutasse.

Chissà come se la sarebbe cavata!

«Un quài sant provedarà», era stata l'unica cosa che la perpetua era riuscita a dire.

Se proprio non ce la faceva a stare là sola in Svizzera,

poteva anche fare ritorno al paese dove aveva una sorella che, a giudicare dalle lacrime che le uscivano dagli occhi, le voleva proprio bene e non si sarebbe tirata indietro se ci fosse stato da aiutarla per rimettersi in strada: un pensiero che però la perpetua tenne per sé.

Eren minga afàri sò!

Riguardo al fare invece, mentre la Ferrascini piangeva e balbettava, era riuscita a infilare le costine nel forno. Adesso doveva preparare le mele.

Forse non era molto gentile cominciare a farlo davanti a quella donna sofferente, ma d'altra parte tempo da perdere non ne aveva.

Cominciò col prenderle, quattro renette belle grosse, e a metterle sul tavolo.

Al vederle la Rosalba ebbe un momento di profonda nostalgia e fu tentata di raccontare alla perpetua ciò di cui era venuta a conoscenza: di quello scrittore, Cafca, dell'uomo che si svegliava una mattina e si trovava trasformato in scarafaggio e poi, e poi... forse moriva ma non sapeva se, né quando né come.

Stava per farlo quando squillò il telefono.

I campàn del dòm!

O bestia!

Non avevano orario!

Non c'era più rispetto!

Non sembrava anche a lei che la gente fosse proprio maleducata?

«Dìsi, telefonare a mesdì!»

Tuttavia la perpetua non diede modo alla sua ospite di esprimere il benché minimo parere.

Scattò.

«Vegni!»

«Scusèm.»

Di corsa!

Al terzo squillo:

«Pronto, se gh'è?».

«So el Mario Stimolo, quello del Circolo», disse la voce.
«E alòra?» fece la perpetua.
Aveva già due mele pronte senza torsolo. Un'altra, mentre era partita per rispondere al telefono, l'aveva affidata alla Ferrascini che s'era offerta di finire il lavoro.
«Allora...» attaccò lo Stimolo.
«In prèsa che gò su el mangià!»
Sentiva che le costine cominciavano a sfrigolare, era quasi ora di benedirle con un po' di aceto.
«Alòra è successa una disgrazia», telegrafò lo Stimolo.
La fronte della perpetua si corrugò.
«Disgrassia?» chiese.
«Sì, qui a Cermenate», aggiunse lo Stimolo.
Cermenate?, mormorò la perpetua.
La perpetua stava per chiedere cosa c'entrasse Cermenate con Bellano, con la parrocchia, con lei.
Lo Stimolo le castrò l'obiezione.
Sì, Cermenate.
Sul luogo dell'incidente adesso c'erano i carabinieri e l'ambulanza e il dottore. Ci avevano messo un'eternità per fare i rilievi e tutto il resto.
C'erano anche i corvi, avrebbe voluto aggiungere il gestore del Circolo, ma evitò.
La Rosalba intanto aveva tolto il torsolo della terza mela e aveva attaccato la quarta.
Il Mario Stimolo aveva invece detto alla perpetua che la situazione era un po' complicata. aveva potuto chiamare solo ora, ma le cose sarebbero andate ancora per le lunghe.
«Volevo chiedere se intanto magari il signor prevosto può fare la cortesia di avvisare la moglie...»
Alla perpetua scappò un sorrisetto: quando c'era un bisogno il prevosto diventava un signore, anche per i socialisti.
«Riferirò», disse secca.
Però il signor Mario Stimolo, se voleva che lei riferisse

al signor prevosto, le doveva fare una gentilezza, spiegò con soddisfatta ironia.

«Sarebbe?» chiese lo Stimolo.

«Semplice», rispose la perpetua.

Dirle in cosa consisteva la disgrazia e a chi era capitata.

Perché insomma, lei non poteva mica stare al telefono tùt el dì!

Inoltre c'aveva lì gente in casa che stava aspettando.

E alzò un po' la voce pronunciando quell'ultima frase affinché la Rosalba sentisse.

Le piaceva l'idea che si capisse chi l'èra che comandava lì in canonica e che nessuno poteva pensare di metterle i piedi sulla testa, come se fosse uno scarafaggio.

Dal catalogo

Garzanti

Andrea Vitali

UNA FINESTRA VISTALAGO

Di Arrigoni Giuseppe ce ne sono tanti a Bellano, un paese del lago di Como. Impossibile conoscerli tutti. Anche nella vita di Eraldo Bonomi, operaio tessile del locale cotonificio, ce ne sono troppi. E sarà proprio un Arrigoni Giuseppe a segnare il suo destino, dove brillano l'amore per la bella Elena e la militanza politica nel PSIUP. Il colpo di fulmine per Elena fa del Bonomi un uomo pericoloso, che sfiora segreti, scopre altarini, esuma scheletri sapientemente nascosti negli armadi di una provincia che sembra monotona, in quei paesi dove l'omonimia può essere fonte di equivoci ma anche, a volte, il viatico verso la libertà.

Andrea Vitali

LA SIGNORINA TECLA MANZI

Siamo negli anni Trenta, all'epoca del fascismo più placido e trionfante. Nella stazione dei Carabinieri di Bellano, sotto gli occhi del carabiniere Locatelli (bergamasco), rivaleggiano il brigadiere Mannu (sardo) e l'appuntato Misfatti (siciliano). Un'anziana signora, «piccola, vestita con un cappotto grigio color topo, una borsetta tenuta con due mani all'altezza dello stomaco», vuole a tutti i costi parlare con il maresciallo Maccadò. La donna – anzi, la signorina Tecla Manzi – è venuta a denunciare un furto improbabile: il quadretto con il Sacro Cuore di Gesù che teneva appeso sopra la testata del letto. Inizia così una strana indagine alla ricerca di un oggetto senza valore, che porta alla luce una trama di fratelli scomparsi e ricomparsi, bancari e usurai, gerarchi fascisti e belle donne, preti e contrabbandieri.

Andrea Vitali

LA FIGLIA DEL PODESTÀ

Bellano è in gran subbuglio. Con apposita delibera, Agostino Meccia, l'autorevole podestà della cittadina affacciata sul lago, ha deciso di perseguire un progetto assai moderno e ambizioso: una linea di idrovolanti che collegherà Como, Bellano e Lugano, e darà lustro alla sua amministrazione, attirerà frotte di turisti e farà schiattare d'invidia i comuni limitrofi. Tutto sembra filare liscio, in quel placido e fascistissimo 1931. Anche se c'è un problema: per le casse di un piccolo comune l'investimento sarà enorme, e oltretutto l'idrovolante dovrà essere debitamente collaudato. E poi Renata, la figlia del podestà: fino a ieri era solo una bambina, ora è diventata così strana, non avrà mica qualche nuovo capriccio?

Dal catalogo

Garzanti

Andrea Vitali

LA MODISTA

Nella notte hanno tentato un furto in comune, ma la guardia Firmato Bicicli non ha visto nulla. Invece, quando al gruppetto dei curiosi accorsi davanti al municipio s'avvicina Anna Montani, il maresciallo Accadi la vede, eccome: un vestito di cotonina leggera e lì sotto pienezze e avvallamenti da far venire l'acquolina in bocca. Da quel giorno Bicicli avrà un solo pensiero: acciuffare i ladri che l'hanno messo in ridicolo e che continuano a colpire indisturbati. Anche il maresciallo Accadi, da poco comandante della locale stazione dei carabinieri, da quel momento ha un'idea fissa. Ma intorno alla bella modista e al suo segreto ronzano altri mosconi: per primo Romeo Gargassa, che ha fatto i soldi con il mercato nero durante la guerra e ora continua i suoi loschi traffici; e anche il giovane Eugenio Pochezza, erede della benestante signora Eutrice nonché corrispondente locale della «Provincia».

Andrea Vitali

OLIVE COMPRESE

Quattro ragazzi di paese, una banda di «imbecilli», stanno mettendo a soqquadro l'intera Bellano. Naturalmente finiscono subito nel mirino del maresciallo Ernesto Maccadò, che avverte le famiglie gettandole nel panico. A far da controcanto, la sorella di uno di loro: la piccola, pallida, tenera Filzina, segretaria perfetta che nel tempo libero si dedica alle opere di carità: ma anche lei, come altre eroine di Vitali, finirà per stupirci. Tutto intorno si muove come un coro l'intera cittadina: il prevosto e i carabinieri, il podestà e la sua stranita consorte, la filanda con i suoi dirigenti e gli operai. E la Luigina Piovati, meglio nota come l'Uselànda (ovvero l'ornitologa...); Eufrasia Sofistrà, in grado di leggere il destino suo e quello degli altri; e una vecchina svanita come una nuvoletta, che suona al pianoforte l'*Internazionale* mentre il Duce conquista il suo Impero africano...

Dal catalogo
Garzanti

Andrea Vitali

ALMENO IL CAPPELLO

Ad accogliere i viaggiatori che d'estate sbarcano sul molo di Bellano dal traghetto *Savoia*, c'è solo la scalcagnata fanfara guidata dal maestro Zaccaria Vergottini, prima cornetta e direttore. Un organico di otto elementi che fa sfigurare l'intero paese, anche se nel gruppetto svetta il virtuoso del bombardino, Lindo Nasazzi, fresco vedovo alle prese con la giovane e robusta seconda moglie Noemi.
Per dare alla città una banda come si deve ci vuole un uomo di polso, un visionario che sappia però districarsi nelle trame e nelle inerzie della politica e della burocrazia.
Un insieme di imprevedibili circostanze può forse portare verso Bellano il ragionier Onorato Geminazzi, che vive sull'altra sponda del lago, a Menaggio, e con lui la speranza di fondare finalmente il Corpo Musicale Bellanese.

Andrea Vitali

GALEOTTO FU IL COLLIER

Lidio Cerevelli è figlio unico di madre vedova.
Un bravo ragazzo, finché alla festa organizzata
al Circolo della Vela non arriva Helga: bella, disinibita
e abbastanza ubriaca. Prima che finisca la cena,
sono in riva al lago: una notte indimenticabile.
Lirica, la severa madre di Lidio, abile e ricca
imprenditrice dell'edilizia, ha vedute molto diverse.
Suo figlio deve trovare una moglie «made in Italy»,
una ragazza come si deve. Ma forse Lidio ha trovato
il modo per uscire dalla trappola e realizzare tutti
i suoi sogni: durante un sopralluogo per un lavoro
di ristrutturazione, in un muro maestro scova
un gruzzolo di monete d'oro,
nascosto chissà da chi e chissà quando.
Sono l'assicurazione per un futuro radioso
o l'inizio di un mare di guai?

Andrea Vitali

UN BEL SOGNO D'AMORE

Bellano, febbraio 1973: gira voce che presso il cinema della Casa del Popolo verrà proiettato *Ultimo tango a Parigi*. In paese si scatena una guerra senza frontiere tra gli impazienti che fantasticano sulle vertiginose scene di nudo che ci si aspetta di vedere sullo schermo e coloro che pretendono di evitare una simile depravazione, e snocciolano rosari a raffica. I tempi però sono cambiati e nulla può fermare il «progresso», né intralciare gli affari di Idolo Geppi, gestore del cinema, che ha già provveduto a maggiorare i prezzi dei biglietti. Anche Adelaide, giovane e volitiva operaia del cotonificio, vuole approfittare dell'occasione. Mette con le spalle al muro Alfredo, il fidanzato eternamente indeciso: o la porterà al cinema o lei ci andrà lo stesso, magari con Ernesto, che le ha già messo gli occhi addosso e che a lei non dispiace neanche un po', per quanto sia una testa matta e finirà presto per mettersi nei guai.

Andrea Vitali

QUATTRO SBERLE BENEDETTE

In quel fine ottobre del 1929, a Bellano non succede nulla di che. Ma se potessero, tra le contrade volerebbero sberle, eccome. Se le sventolerebbero a vicenda il brigadiere Efisio Mannu, sardo, e l'appuntato Misfatti, siciliano, che non si possono sopportare e studiano notte e giorno il modo di rovinarsi la vita l'un l'altro. E forse c'è chi, pur col dovuto rispetto, ne mollerebbe almeno una al giovane don Sisto Secchia, il malmostoso coadiutore del parroco arrivato in paese l'anno prima e che sembra un pesce di mare aperto costretto a boccheggiare nell'acqua chiusa e insipida del lago. E poi ci sono sberle più metaforiche, ma non meno sonore, che arrivano in caserma nero su bianco. Sono quelle che qualcuno ha deciso di mettere in rima e spedire in forma anonima ai carabinieri, forse per spingerli a indagare sul fatto che a frequentare ragazze di facili costumi, in quel di Lecco, è persona che a rigore non dovrebbe. D'accordo, ma quale sarebbe il reato? E chi è l'anonimo autore delle missive? Ma, soprattutto, con chi ce l'ha?

Andrea Vitali

BIGLIETTO, SIGNORINA

Alla stazione ferroviaria di Varenna c'è trambusto. È stata beccata una passeggera senza biglietto. E senza un quattrino per pagare la multa. Ma non parla bene l'italiano, e capire cosa vuole è un bel busillis. Ora il capostazione si trova lì, nel suo ufficetto, con davanti Marta Bisovich. Bella, scura di carnagione, capelli corvini, dentatura perfetta, origini forse triestine, esotica e selvatica da togliere il fiato. Siamo nel giugno del 1949, e sul lago di Como, in quel di Bellano, tira un'aria effervescente di novità. Ci sono in ballo le elezioni del nuovo sindaco, e le varie fazioni si stanno organizzando per la sfida nelle urne. Su tutte, la Dc, fresca dei clamorosi successi alle politiche del '48, attraversata ora da lotte intestine orchestrate dall'attuale vicesindaco Amedeo Torelli, che aspira alla massima carica. La bella e conturbante Marta, invece, ha altre aspirazioni. Le basterebbe trovare un posto dove vivere, e questo è il motivo per cui ha deciso di puntare le sue ultime chance sulla ruota di Bellano, dove certe conoscenze non sono nelle condizioni di negarle un aiuto.

Andrea Vitali e Massimo Picozzi

LA RUGA DEL CRETINO

Birce è nata storta. Ha una macchia sulla guancia sinistra e ogni tanto si perde via e dice e fa cose strane. Chi la vuole una così? È l'agosto del 1893 e per lei forse è arrivata l'occasione giusta. Perché una devota, Giuditta Carvasana, è intenzionata a fare del bene, per esempio aiutare una giovane senza futuro. Per Birce non sarebbe cosa da poco, perché la vita non pare riservarle un destino felice. Come a quella povera fioraia di Torino massacrata per strada. Che, a dire il vero, non è la prima vittima. I corpi sono a disposizione della sala anatomica dell'università torinese, dove il dottor Ottolenghi, assistente del noto alienista Cesare Lombroso, li analizza, convinto che dalla medicina possa venire un aiuto alle indagini. Dalle tasche delle sventurate salta fuori un biglietto con segni matematici. Indicano un collegamento tra quelle morti? E nel mirino dell'omicida può essere finito lo stesso Lombroso, che già aveva ricevuto un analogo foglietto anonimo? Trovare la soluzione non è cosa per cui possa bastare il rigore della scienza. Forse, fantastica il Lombroso, lo spiritismo potrebbe dare un contributo.

Andrea Vitali

LA VERITÀ DELLA SUORA STORTA

Sisto Santo ha la manualità e la fantasia giuste del meccanico di rango. Da ragazzo ha riparato perfino una Peugeot 403 senza fare una piega, lasciando a bocca aperta il Scatòn, il suo capo officina, che i diesel manco li conosceva. Però adesso fa il tassista. Si è comprato un Millenove e aspetta i clienti alla stazione ferroviaria di Bellano. Pochi. Arrivano da Sondrio o da Lecco e Milano, e vanno in visita all'ospedale o su al cimitero. Oggi gli è capitato un fattaccio. Una donna arrivata dopopranzo, poco prima che dalla radiolina che tiene in macchina partisse la sigla di *Tutto il calcio minuto per minuto.* Non che fosse importante: ultima giornata; campionato 1970 già bell'e andato al Cagliari, però... Gli ha chiesto di essere portata al cimitero, che non sa nemmeno dov'è. Ma poi, arrivati là, il Sisto si è accorto che la donna era morta. Proprio lì, sul sedile posteriore del Millenove, macchiandolo pure di urina. Un guaio mica da ridere. Da tirare in ballo il maresciallo Riversi. Anche perché la donna è senza borsetta e non si riesce a capire chi sia, né chi stesse cercando al cimitero di Bellano in quel pomeriggio di fine aprile.

Finito di stampare nel mese di giugno 2016
da Grafica Veneta s.p.a., Trebaseleghe (PD)